ГДЕ РУССКОМУ ЖИТЬ ХОРОШО?

Все, что вы хотели знать о жизни за границей, в серии «Где русскому жить хорошо?»

«Америка… Живут же люди!»

«Германия. Пиво, сосиски и кожаные штаны»

«Гоа. Для тех, кто устал… жить по инструкциям»

«Италия. Любовь, шопинг и dolce vita!»

«Америка… Живут же люди!»

«Америка: исчадие рая»

«Канада. Индекс лучшей жизни»

«Испания. Фиеста, сиеста и манифесто!»

«Израиль. Земля обетованная»

Елена Коротаева

Израиль

Земля обетованная

ЭКСМО

МОСКВА

2013

УДК 646/649
ББК 37.279
К 68

Фотография *Е. Коротаевой* на переплете
из личного архива автора

Художественное оформление переплета *И. Ковригина*

В оформлении обложки использованы фотографии:
Belushi, Ella Hanochi, Aquir / Shutterstock.com
Используется по лицензии от Shutterstock.com

В оформлении форзаца использована фотография:
vicspacewalker / Shutterstock.com
Используется по лицензии от Shutterstock.com

Коротаева Е.

К 68   Израиль. Земля обетованная / Елена Коротаева. — М. :
Эксмо, 2013. — 320 с. — (Где русскому жить хорошо?).

ISBN 978-5-699-65032-3

Израиль — красивый уголок мира с целебным Мертвым морем, необъятными пустынями, древними городами и зелеными заповедниками. Кто-то совершает паломничество в эти земли, кто-то едет за уникальным сокровищем, аналогов которому нет в мире, а кто-то ищет захватывающих приключений или стремится познать многовековую культуру и традиции.

Это книга-путешествие через весь Израиль с остановками в самых интересных местах. История здесь на каждом шагу — история страны и автора, Елены Коротаевой, переводчицы и известного психолога-тренера, для которой Израиль остается главной любовью. Елена, прожившая в Израиле десять лет, расскажет, что нужно знать об этой стране и ее жителях перед поездкой — в отпуск или на всю жизнь. Что такое гостеприимство по-израильски? Каково иммигрировать в Израиль и как сама Елена вместе с маленькой дочкой прошла первые годы иммиграции? Какие профессии востребованы и что играет роль при устройстве на работу? Как получить государственную ссуду на покупку недвижимости? А также об образовании и медицине, спорте и молодежи, о достопримечательностях и культурных событиях — об этом и многом другом в увлекательной поездке через семь климатических поясов, по берегам трех морей вместе с Еленой Коротаевой.

УДК 646/649
ББК 37.279

ISBN 978-5-699-65032-3

Содержание

Посвящаю моим родителям,
Ирине и Олегу Левинсон

1. Возвращение

Роман в романе

Все неожиданные крутые и плавные повороты, подскоки, загогулины, перелеты и переезды случаются в моей жизни неизменно в марте. Почему так — мне неведомо, но я всегда меняю профессию, работу, страну, жизненные принципы, интересы, или у меня возникает какое-то захватывающее с головой увлечение именно в марте, хотя, по правде сказать, это не особенно любимый мной месяц. Вообще-то я родилась 13 сентября, не думаю, что это связано, но, попадись я сейчас под руку мудрому астрологу, он наверняка объяснил бы этот феномен существованием связи в высших небесных сферах и мерцании звезд.

Так сложилось, что последние годы я живу в Канаде, куда завело меня стремление переводчицы с инязовским образованием поработать в англоязычной стране, но в Израиле мой дом, вернее, квартира на севере страны, мой брат с семьей, толпа родственников и друзей, с которыми я постоянно на связи. Родители похоронены в Цфате. Я бываю в Израиле, друзья прилетают ко мне. Все новости я узнаю первой из первых уст. Часть моей души постоянно живет в Израиле, и таких людей, как я, много. Думаю, что не ошибусь, если скажу, что только в Торонто десятки тысяч. Сколько именно десятков, не буду говорить, во-первых, потому, что есть мнение, что в Торонто живет двести-триста тысяч русских, во-вторых, потому, что не уверена в правильности цифры. Учитывая то, что вышеупомянутые сотни на определенный (большой) процент состоят из евреев, каждый из которых имеет свое абсолютно правильное мнение, то пропади она пропадом, эта точность... Оно мне надо, чтобы меня корректировали каждую минуту?

Эта книга написана для определенного читателя — русскоязычного мыслителя и путешественника или просто интеллигента, родившегося в России, для которого русский язык такой родной, что роднее не бывает. Люблю русских поэтов и просто русских людей, где бы они ни пребывали в своих сентиментальных галлюцинациях и куда бы ни забросил их «век мой, зверь мой». Собрать бы всех, потому что так часто поговорить не с кем. А мы с вами прекрасно понимаем, что истинным русским интеллигентом может быть и немец, и белорус, и еврей, и кореец, и «друг степей калмык»... позволю себе процитировать А. С. Пушкина.

Книга эта будет интересна тем, кто собирается приехать в Израиль попутешествовать, поскольку ее читатель вместе со мной проедет на машине через всю страну. Ехать будем медленно, предаваясь размышлениям и воспоминаниям, хотя на большой скорости можно пересечь Израиль за семь часов и побывать в пяти географических поясах. Здесь вы найдете много информации о жизни и судьбах людей, медицине, устройстве на работу, социальной системе, науке и открытиях, природе и кибуцах и вообще обо всем, что есть интересного в этой стране, а интересного в ней столько, сколько нет ни в каком другом месте.

Моя жизнь — это три страны: Россия, где я родилась, Израиль и Канада. Я постоянно связана с ними и люблю их, потому что каждая страна — это целая жизнь. Эта книга о моей главной любви — об Израиле, который подарил мне десять счастливых лет жизни.

Я начинаю ее в конце марта 2011 года, сидя в самолете, летящем рейсом Торонто — Тель-Авив. В моих планах провести там месяц отпуска и проехать всю страну вдоль с юга на север. Раньше я таких путешествий не совершала. Не удивляйтесь, если меня будет отбрасывать на двадцать лет назад и воспоминания будут наплывать, как «тьма, пришедшая со Средиземного моря»... Обещаю, что если реальность и начнет вдруг в моем повествовании сливаться с ассоциациями, а воспоминания станут притягивать лирические отступления на ровном месте, то бреда, снов и подсовывания желаемого вместо действительного здесь не будет точно. Обещаю. Воспоминания же попробую упорядочить и выстроить линеечкой, чтобы они были как «роман в романе». Пожалуй, воспоминания я буду выделять курсивом.

Итак, опять март, и я сижу в самолете, который гудит и собирается унести меня от тающего снега и голых деревьев Торонто в раскаленный до сверкающих водной гладью миражей на асфальте Израиль. Образ Израиля для меня неразрывно связан с жарой, которую я люблю и ничего против нее не имею, но сейчас там должно быть свежо, все цветет и зеленеет. Сады Галилеи, исхоженной мной вдоль и поперек, — розовые, белые и фиолетовые, и трава еще не выжженная, а зеленая и сочная. Всего через одиннадцать часов я увижу Израиль, который заставлял меня ликовать и рыдать, то вознося на седьмое небо и даря редкие дни и недели счастья, то опуская в темную холодную пропасть тоски и отчаяния. А оглядываясь назад, много ли мы можем насчитать действительно счастливых дней, по всем статьям счастливых, с какой стороны ни посмотри? Эта земля дарила их щедро.

Израиль странно описывать как страну в женском роде, хотя он, конечно, страна... молодая и древняя, красивая и неповторимая, но Израиль — это мужское начало: он такой крепкий, загорелый, в белой футболке и расстегнутых сандалиях, с заинтересованными карими глазами и золотой цепочкой на шее, шумный, творческий, изобретательный... много его, и весь он эдакий «веселый и находчивый». Израиль можно любить, можно ненавидеть, но к нему нельзя оставаться равнодушным. Я люблю, и этой любовью будет пронизана книга. Я собираюсь написать о стране и ее устройстве, ее городах и кибуцах, о встретившихся здесь людях, о тех, кто стал моими друзьями на всю жизнь, об их потрясающих судьбах, о трех морях и пустыне, о повседневной жизни простых людей. Я собираюсь написать обо всем, что пришлось пройти самой, а путь этот не был усыпан лепестками роз, и двухметровые красавцы в набедренных повязках с опахалами вдоль моего пути не стояли. Все годы, проведенные в Израиле, за исключением одного (второго года жизни в стране), я преподавала английский, так вот, среди моих учеников были гении и придурки, немного хорошистов и очень редкие троечники. Каждый троечник — бриллиант чистой воды, чудо природы. Гении сверкали и вызывали восторг, придурки изумляли своими придурствами, а вот серости не было. В этом весь Израиль.

Где второй?

Не могу удержаться, чтобы коротко не рассказать вам про полет из Торонто в Израиль — то, с чего началось наше путешествие, хотя это мелочь. У нас были билеты на рейс авиакомпании «Трансаэро», поскольку он всегда делает остановку в Москве; остановиться можно хоть на день, хоть на месяц — очень удобно. На пути в Израиль мы должны были приземлиться в Домодедово на два часа, чтобы сделать пересадку на другой самолет, и лететь дальше, а на обратном пути в Торонто планировали задержаться в Москве на 10 дней.

Прихватив с собой пару легких курток, мы с мужем отправились в путь. Я очень хотела, чтобы младшая дочка, которая родилась в Израиле, поехала с нами, но у тринадцатилетнего ребенка оказалась неправильная (не моя) генетика — она наотрез отказалась прогулять школу, чего мне не понять. Пришлось отправиться на Ближний Восток без нее.

Итак, мы прилетели в Москву в час дня, на душе — странное волнение, но времени на чувства нет, быстрым шагом мы пошли на регистрацию, хотя знали, что в запасе еще два часа до следующего самолета. Подойдя к столу, за которым сидел парень в форме, я улыбнулась, как нормальный канадский пассажир в отключке, и протянула ему билет. Он поднял глаза, взял паспорт и билет и молча напряженно посмотрел на меня. Я улыбаюсь, как водится... После выразительной паузы мужчина сурово произнес: «Где второй?» Подошел мой любимый мужчина, который в трех метрах от грозного клерка завязывал шнурок, и ответил: «Наверное, я второй...» Человек в форме затараторил:

— Вы опоздали!!! Вы опоздали на два часа!!! Уже закончена регистрация! Ничего нельзя сделать!! Вы слишком долго летели!!! — И теперь самое интересное: — Почему вы так долго летели?!

Сразу захотелось оправдываться, умолять о пощаде и бить челом. Наши глаза практически вылезли из орбит:

— Но мы же не сами летели!!!

Клерк долго звонил куда-то «по вопросам утряски и согласования», открыл для нас, благодетель, регистрацию, раздувая ноздри, швыр-

15

нул паспорта, и мы побежали, счастливые, на самолет. На бегу любимый, он же обладатель сильнейшей интуиции, весело пророчил: «Они наш багаж точно потеряют!» И что вы думаете? Прилетев в Израиль, мы узнали, что багаж наш отправлен непонятно куда или вообще не отправлен из Москвы. Интересно, что таких, как мы, с потерянным багажом, было еще человек 30 и все летели тем же рейсом Торонто — Москва — Тель-Авив. Любопытно, тот клерк у всех спрашивал: «Где второй? Почему так долго летел?»

Мы уже подлетали к Тель-Авиву, когда меня окончательно развезло от воспоминаний, в которых было все: от ощущения пьянящего запаха апельсинов в цвету и изумления от того, что они цветут и одновременнно усыпаны спелыми плодами, до аритмии, вызванной вдруг припомнившимся словесным мордобоем двадцатилетней давности с коллегой — марокканским евреем по причине культурного несоответствия, и я уже не ведала, что буду творить, ступив второй раз в своей жизни на Святую землю (может, целовать ее буду), как вдруг все зааплодировали, и оказалось, что мы приземлились.

Фейс-контроль

Интересно, что, когда двадцать лет назад, в марте 1991 года, я со старшей дочкой-первоклашкой впервые прилетела в Израиль из Москвы и вышла в этот же самый аэропорт, он показался мне огромным и пустынным, тогда людей не было совсем. Девушка в форме поинтересовалась, нет ли у меня какого-нибудь оружия или хотя бы, может, бомбы, и пропустила дальше, к красивому парню, представлявшему собой следующий кордон. Он задал вопрос, нет ли у меня чего-нибудь особо ценного в нескольких экземплярах. Я спросила, что он имеет в виду под ценным. «Видео, например», — сказал парень. Нет, видео у меня не было. Все мои ценности были: дочка и большая сумка, из которой высовывалась голова игрушечной рыжей плюшевой собаки с висячими ушами. Я тогда была «разведенкой с прицепом», поскольку первый муж мой отъезд в Израиль не одобрил. Аэропорт и тогда был совершенно пуст... ни души. Парень улыбнулся мне и пожелал удачи. Я ему явно понравилась, а значит, и фейс-контроль прошла.

Мы медленно выходили из аэропорта. В воздухе витали покой и ощущение, что все будет хорошо — рано или поздно, и вообще можно расслабиться, прилетели. Отныне жить и работать можно по-израильски: с перерывами с

17

часу до четырех, бесконечными чашками «кафе афух» (кофе на молоке) и тихой радостью от того, что все спокойно, день прожит мирно и хорошо, и неизвестно, что может быть завтра.

Аэропорт Бен-Гурион удивил своими размерами: по-моему, он стал раз в пять больше, чем раньше. Народу почти нет, возможно, время такое, но места много, всюду архитектурные изыски, гнутые формы, какой-то льющийся сверху из-под купола фонтан, очень красиво и впечатляюще. Для таможенников сейчас большой ценности не представляет не только видео, канувшее в Лету, но и ай-фоны, ай-поды и ай-пады. Никто про них даже не спрашивает.

Красивый аэропорт

Автор проекта аэропорта Бен-Гурион — известный израильско-канадский архитектор Моше Сафди. Родился он в Хайфе, но в юношеском возрасте был увезен родителями в Канаду. Потрясающий зодчий, его работы есть и в Америке, и в Канаде, да где только нет. Конечно, много всего он строит и для Израиля. Даже музей Холокоста — его работа. Многие его творения вошли в список самых выдающихся зданий XX века. Аэропорт поражает необыкновенным пространственным и образным

18

решением. Можно вспомнить «Хабитат» — универсальный жилой комплекс, составленный, подобно детской игре «Лего», из жилых блоков, или Центр искусств в Ванкувере, напоминающий формой римский Колизей. Но вернемся к аэропорту Бен-Гурион; центр его представляет собой цилиндрической формы гигантский зал, в середине которого — фонтан, выполненный в форме символического дождя, льющегося в водоем с потолка, вроде как символ жизни, особенно если вспомнить веселенький климат Израиля. Это что-то типа образа оазиса в пустыне. Мощный символ, красиво и интересно сделанный. Поражают масштаб сооружения и атмосфера, в которой пассажиры могут отдохнуть перед полетом в одном из наиболее оживленных и выдающихся по пропускной способности и пассажирскому потоку аэропортов мира. Здесь вы не чувствуете себя в толпе пассажиров, можете расслабиться перед тем, как окажетесь в самолете-капсуле (как ни крути), где придется провести часов 10—13 при перелете в Канаду, например, или Америку. При посадке и контроле вас любезно и ненавязчиво сопровождают взгляды бравых ребят в военной форме с автоматами через плечо, и вы понимаете, что все под контролем и вы — о'кей. Вернее, все — беседер... гамур («полный порядок» — иврит).

Мы вышли из здания аэропорта, землю поцеловать я забыла, поскольку спешила в компанию «Авис», что в переводе с латыни значит «птица», куда я накануне звонила, чтобы взять в аренду хорошенькую голубую «Тойоту». Кстати, для тех, кто едет отдыхать в Израиль, — малюсенький кусочек информации, как говорят англичане: если бы у нас была с собой карточка «Виза-голд», забытая дома, то за аренду машины на месяц мы заплатили бы всего 500 долларов, но поскольку у нас была только карточка «Мастер-кард», пришлось заплатить 750 долларов, потому что в последнюю не забита страховка машины.

Купив фисташки и загрузив их в «бардачок» машины, мы почувствовали себя совершенно свободными и счастливыми. Первым городом на нашем пути был славный белый, новый и чистый Модиин, удачно расположенный между Тель-Авивом и Иерусалимом. Там нас уже ждали друзья. Через месяц, исколесив Израиль вдоль и поперек на арендованной машине, накупавшись в Средиземном, Мертвом и Красном морях, мы здесь же, в Бен-Гурионе, за пять минут сдали машину.

Багаж нам вернули только утром следующего дня, в 11, ну да ладно, подумаешь: задержали запланированную поездку в Эйлат с друзьями на полдня, это всего лишь эпизод, мелочь, которая совершенно не омрачила начало нашего отпуска, а вот купленные за день до отъезда дорожные сумки нам вернули с перебитым дном и оторванными ручками. Это, кстати, скорее всего, работа Ави — сотрудника аэропорта Бен-Гурион, который швырял наши чемоданы как волейболист, он и роста был соответствующего.

В Израиле обстановка сразу стала домашне-родственной. Все со всеми на «ты» и по имени. Нам позвонили и сказали: подойдите на вашу ближайшую бензозаправку и заберите свои чемоданы, через пятнадцать минут туда привезет их на белом микроавтобусе Ави. Мы стали взволнованно причитать, что хорошо, будем, скажите, какие документы привезти, мы заполняли кучу каких-то анкет в аэропорту для компании «Трансаэро»... но на том конце уже повесили трубку. Прибывший вовремя Ави на нас глянул, никаких документов не спросил и бросил нам сумки. Наверное, это был такой мгновенный фейс-контроль. Что-то не очень повезло нам с работниками аэропортов, что в России, что в Израиле. Один в Москве негодовал, почему мы так долго летели, второй в Тель-Авиве швырялся нашими сумками, отрывая от них ручки и ломая дно.

Автобусы

Тогда, двадцать лет назад, мои родители жили в городке Кирьят-Шмона на крайнем севере Израиля, и мы договорились, что встречать нас не нужно, сами с дочкой приедем на автобусе, поскольку полгода назад мы уже были у них в гостях и знали дорогу. Автобусы в Израиле комфортабельные и быстрые. Комфортабельные потому, что сиденья высокие и мягкие, каждое с отдельным кондиционером, а быстрые потому, что у водителей — темперамент. Израильские водители — это такие эмоциональные психологи со знанием английского, которые, как и работники службы безопасности аэропорта, тоже владеют навыками мгновенного фейсконтроля. Увы, без этого не обойтись — надо за секунды оценить того, кто входит в автобус.

Недавно узнала новость: министр транспорта, национальных инфраструктур и безопасности на дорогах Израиля издал новый указ об обязательной установке систем тушения пожара во всех автобусах. Дело в том, что в автобусах часто ездят солдаты, но иногда в транспорт входят переодетые или непереодетые террористы. Бывает, что горят автобусы, правда редко, но достаточно тех случаев, что были за последние десятилетия. Системы тушения и обнаружения пожара установлены там, где находится аккумулятор и мотор, чтобы в случае чего обезопасить и защитить пассажиров. В Израиле есть скоростные поезда и метро, внутренние авиалинии, но автобус остается самым любимым видом транспорта. Они ходят и по городам, даже самым маленьким, и перевозят людей из одного города в другой.

Помню, как в конце девяностых я, уже прекрасно стоящий на ногах представитель привилегированной части населения под названием «учитель», летала 25 минут из Кирьят-Шмоны по делам в Тель-Авив, вместо того чтобы три часа ехать на автобусе.

Почему учитель привилегированная профессия, почему учителям дают один раз в семь лет оплачиваемый отпуск длиною в год и они, чтобы не свихнуться, едут в кругосветное путешествие, почему им ежемесячно выплачивают хорошую сумму на учебу и еще тьму всего, что другим людям и не снилось... Это все я объясню позже в главе о работе, хотя вы уже догадываетесь, что это потому, что детишки, как и водители автобусов, — темпераментные, ну и, как я уже писала, гениев очень много. Вернемся в автобус: там прохладно, около каждого сидения — кнопка, которую нажимаешь, чтобы напомнить водителю, чтобы он остановился на твоей остановке.

Человек с ружьем

Я дала себе слово, начиная эту книгу: ничего не писать о политике. Почему? Потому что я эмоциональна и могу быть необъективна. Если заведусь, то могу начать таращить глаза, раздувать ноздри и страстно доказывать свою точку зрения, которая может в деталях слегка измениться завтра. Хотя в целом... все, конечно, неизменно, и десять лет жизни в замечательном городе Кирьят-Шмона, где «из нашего окна Иордания видна, а из вашего окошка — только Сирия немножко» и каждый ребенок знает, что «Катюша» — это не только женское имя, накладывает, конечно, свой отпечаток на кору головного мозга творчески ориентированного индивидуума. Извините, слегка приврала: из моего окна видна не Иордания, а Ливан.

В этот приезд лишь однажды довелось мне проехать на автобусе. Я уже говорила, что люблю израильские автобусы, удобные, просторные, с кондиционерами. Сидим мы, смотрим в окно на цветущую по весне Галилею, мягкими зелеными горами и долинами заполняющую весь пейзаж до горизонта. Кажется, что страна такая большая, что конца ей не видно, и спокойная.

Вдруг слышится знакомый грохот упавшего на пол автомата. Ну что же ты, человек с ружьем, заснул и оружие свое уронил? Солдатик проснулся, поднял автомат, стал недовольно смотреть в окно. В Торонто при таком раскладе, если кто-то случайно что-то уронил, грохотом нарушил покой окружающих, пять раз бы сказал «excuse me». Но «здесь вам не там», как говорит Жванецкий. Этот солдатик — наш человек, и он не должен ни перед кем расшаркиваться, и зовут его, вероятно, Миша или Саша. Смотрю на него с умилением: наверное, домой едет на выходные.

В Израиле есть правило: если ребенок в семье один, то он может выбирать, где служить, можно поближе к дому. «Джобники» — те, кого по разным причинам не взяли служить в армию и кто проходит службу, работая на стройках или катая коляски с пациентами в больницах, — обычно служат недалеко и каждый вечер возвращаются домой. Служба в армии обязательна для мужчин и женщин. Девочек-солдаток не посылают туда, где идут какие-нибудь столкновения, они проходят службу при штабах, осваивают компьютерные программы и иногда получают профессию, основанную на армейской. Нередко по этой же линии идут в университеты после армии, получают степени. Так же часто учатся и парни, но только их могут послать в горячие точки. Однако если солдат — единственный сын в семье, его ни за что туда не отправят, даже если он будет очень

просить и заставит родителей подписать за-
явление о том, что они просят власти послать
сына на войну. Не определят в зону боевых
действий и того, у кого в семье уже кто-то погиб. Такие воюющие при необходимости части
называются «войска крави». Есть страны, где
просто мир, а на Ближнем Востоке — «мирный
процесс», который так медленно проистекает
непонятно в каком направлении, что Израилю
пока необходим человек с ружьем

Так уж сложилось исторически, что народ
жил по разным странам 2000 лет, то под Се-
вильскую резню попадая, то под погромы, то
под нещадный режим Гитлера (минус шесть
миллионов евреев из восемнадцати, прожива-
вших тогда на планете). В 1948 году Черчилль
взял линейку и нарисовал эту страну, которая
ввиду своей маломстражности на карте обозна-
чена цифрой, чтобы пристроить куда-то еврейские послевоенные остатки, и в том же 1948
году началась война за независимость... Соседи
были не в восторге от возникновения страны-
цифры рядом с ними. И действительно, кому
понравится — не было страны и вдруг есть?

Государству Израиль 65 лет, а серьезных
войн уже было восемь, а если считать последние столкновения, то больше. Поэтому и существует армия, и называется она Армия обороны Израиля. Послужив два года, молодые
израильтяне едут путешествовать по миру, по-

скольку в конце службы получают от государства неплохие деньги, которых хватает на кругосветное путешествие, а потом возвращаются домой, учатся, работают, и каждый год мужчины снова идут на несколько недель на военные сборы для запасников под названием «Милуим». У каждого, кто служил в армии, есть своя армейская профессия. Кто не служил — странен и непонятен, и вообще редкость. А вот что не редкость, так это молодые люди, влюбившиеся навеки в свои восемнадцать лет в первые армейские дни, проведенные под обжигающими лучами солнца, и создавшие крепкие семейные пары.

Очень приятное впечатление произвел городок Модиин. Еще в 1993 году его просто не было, а сейчас здесь живет около 90 тысяч человек. Город задумал уже упоминавшийся мной очень талантливый и, пожалуй, самый известный в Израиле из современных архитекторов Моше Сафди. Модиин построили на месте древнего исчезнувшего города около Иерусалимских гор, в долине и на гористой местности. Улицы с трех- и четырехэтажными жилыми домами находятся в долине. В городке много красивых бульваров, но самое гениальное — это собственно расположение города. Место выбрали в 30 минутах езды от Иерусалима и в 20–30 минутах от Тель-Авива. От аэропорта Бен-Гурион город отделяют всего 13 километров.

В самолете мы выспались и теперь пошли гулять по городу. Он маленький, но красивый и ухоженный, с элементами замысловатой архитектуры: какие-то колонны, арки, есть районы, целиком выкупленные выходцами из Америки и Англии. Цены на дома и квартиры невероятно высокие.

Мы прошлись по городу, зашли в кафе, где я ностальгически заказала «кафе афух», и тут перед нами возник трехэтажный молл, который по израильской традиции называется «каньон». Каждый, даже самый крошечный городок обязательно имеет свой «каньон» или даже несколько «каньонов», объединяющих под крышей много маленьких и больших, частных и фирменных магазинов, кафе и ресторанов. Здесь-то меня и накрыло! Я увидела женщин в красивых туфлях и сапогах по моде и в платьях... платьях! Не могу, должна отвлечься.

Как меня накрыло

Как уже говорилось выше, последние годы я живу в Канаде среди спокойного населения этой замечательной страны. В Израиль прилетаю по работе с семинарами и лекциями по прикладной психологии и коучингу, во время которых должна быть красиво одета. Ну, скажем, я не просто люблю наряжаться, а по работе вынуждена. Идея о том, что хорошо одетый человек — это человек, который одет так же, как все люди вокруг него, не выделяясь, принадлежит англичанам. Канадцы по сути те же англичане, плюс в них есть еще что-то пуританское, плюс климат холодный. Беда, одним словом. Основная идея: главное — чтобы было удобно, при этом костюмы, ткани и обувь могут быть очень качественными и дорогими, но до чего же все это скучно! Я и забыла, как бывает в других странах, где море, весна, темперамент и хамсин, горячий ветер с пустыни, имеющий обыкновение зависать в виде облака из мелкого песка и отравлять людям настроение два-три дня.

Летом канадские женщины всех возрастов одеваются в штаны «капри» чуть ниже колена и футболки. Я тоже так хожу... привыкла. Конечно, можно увидеть и женщину в платье, но это скорее исключение из правила. Ткани в основном используются натуральные: лен, хлопок и т. д. Летом все-таки повеселее, чем зимой. С наступлением холодов народ одевается в пуховики и прочие куртки. Я скажу, конечно, что куртки бывают разных цветов, например: серые, коричневые, темно-синие и темно-зеленые, но это не совсем вся правда. Правда в том, что самый популярный цвет курток — черный.

Канадцы начнут спорить, что они не только в черных куртках ходят, а еще и в... темно-серых. Дорогие ткани, фирмы, бренды — это народ понимает, но с модой и стилем в Торонто напряженка, потому что хорошо одет тот, кто одет так же, как и все люди вокруг него.

Теперь вы понимаете почему меня накрыло, когда я вошла в «каньон» и увидела свой любимый магазин «Crazy Line». Десять лет назад у меня была от этого магазина карточка. Веселая продавщица обрадовалась, что я говорю на иврите, и стала предлагать скидку, если я в их системе. Я сказала, что не может быть, чтобы сохранилась какая-то информация, а карточку-то я давно потеряла. Она попросила номер моего удостоверения личности, который любой, кто жил в Израиле, помнит наизусть. Я продиктовала его. А в Израиле все компьютеризировано, и сейчас, и тогда, двадцать лет назад. Тут же выплыло мое имя, адрес, место и дата рождения и вообще все досье, все про меня. Вот это да! Я уже полчаса ходила вокруг коричневого платья со шнуровкой на груди и низкими, у колен, карманами, придающими ему форму бочонка, которая была в моде в начале двадцатого века, — уходила, возвращалась. Не потому, что стоило оно в два раза дороже, чем в Канаде, а потому, что в Канаде ничего подобного никому и в голову не придет сшить. Померила и, махнув на все рукой, купила платье. Я ношу его и сейчас с чувством глубокого удовлетворения.

Я поделилась с разговорчивой продавщицей, что презираю себя и считаю невменяемой, потому что только сегодня прилетела на месяц и сразу в первом же магазине начала тратить деньги на дорогие тряпки, и что будет, если так дальше пойдет, и что вернемся мы без полтинника на такси, чтобы домой добраться из аэропорта... А она сказала: «Элоим Гадоль!» что в совсем вольном переводе значит «Сколько той жизни?!», а если дословно: «Бог Велик».

От Эйлата до Метулы

План путешествия был нарисован и засунут туда же, где уже лежали фисташки, — в «бардачок», или, как говорят англоязычные господа, «отделение для перчаток». Утром следующего дня мы выезжали в Эйлат напрямик, сквозь пустыню. Главное — ехать быстро, не засматриваясь на верблюдов и бедуинов, поскольку гостиница была уже заказана.

В Израиле много разных правил на все случаи жизни, не только религиозных, но и народных: например, можно ли считать религиозной традицию, несколько тысяч лет предписывающую не засаживать поле каждый седьмой год, потому что земля должна отдохнуть, или современное понимание того, сколько же нужно Израилю овощей и фруктов. Ответ: ровно столько, чтобы прокормить себя и еще одну такую же страну (израильскую морковку я видела даже в магазинах Москвы). Еще правило: не закупать овощи и фрукты за границей. Почему? Потому что свои надо есть, их кибуцники в основном выращивают, а им надо дать возможность заработать, свои все-таки.

Я впервые ехала через пустыню на крайний юг страны.

Беэр-Шева

Первая остановка была в Беэр-Шеве, большом городе на юге страны. Я никогда здесь раньше не бывала. Моя израильская жизнь всегда была сосредоточена на другом конце страны — от крайнего севера до Хайфы, с редкими выездами в Тель-Авив и Иерусалим. Беэр-Шева — это, по израильским меркам, давольно большой город с населением около 190 тысяч. Она считается столицей пустыни Негев. Город очень старый, ему около трех с половиной тысяч лет. Впрочем, есть в Израиле города, которым и 8, и 11 тысяч лет. Иерихон, например. В Беэр-Шеве есть старый город, есть университет, яркий бедуинский рынок, турецкая баня и много всего другого экзотического.

Именно сюда пришел Авраам, идеолог, создатель монотеизма и отец еврейского народа

3700 лет назад. Здесь, в Беэр-Шеве, выкопал он колодец и напоил своих овец. Здесь он жил, и здесь живут его потомки и те, кто ими себя считает. Здесь шли древнейшие транспортные пути, которыми пользовались во времена римлян: Via Maris и Route Valley. Этот жаркий город упоминается в библейских текстах. Археологи находят здесь столько всего, что ЮНЕСКО внес Беэр-Шеву в список Всемирного наследия в 2005 году.

В римский период этот город был одним из центров, управляемых наместниками Рима. Когда римляне приняли христианство, он служил резиденцией епископа, и несколько церквей были построены здесь тогда. Крестоносцы же построили крепость в городе. Долгие века после этого здесь царили запустение и разруха, и народ не любил селиться в этих краях.

Современная Беэр-Шева была основана в начале XX века. Тогда вся территория страны была частью Османской империи, и Беэр-Шева оказалась единственным городом, который турки построили на земле Израиля. Остатки зданий этого периода и времени британского мандата можно увидеть в Старом городе, расположенном в южной части Беэр-Шевы. Они включают в себя Дом губернатора — резиденцию и место работы губернатора города, — построенный в 1906 году, первую мечеть города, также возведенную в 1906 году, железнодорожную станцию, которую основали во время Первой мировой войны, водонапорную башню и многое другое, что рассказывает увлекательные истории из жизни Беэр-Шевы во времена турецкого правления.

Только в 1949-м, через год после официального образования государства Израиль, была основана еврейская часть города. Она развивалась и превратилась в центр на юге, став столицей пустыни Негев. Сегодня здесь есть музеи, зоопарк, много исторических памятников, один из крупнейших университетов в Израиле, ну а про знаменитый рынок бедуинов, ожидающий своих посетителей по четвергам, я, кажется, уже упоминала.

Рынок тоже старый, он был официально открыт в 1905 году и стал еженедельным мероприятием, где бедуины продают свои поделки. Есть здесь обувь, одежда, уникальные предметы из стекла и меди, ювелирные украшения, бусы и изделия из драгоценных камней, ковры, покрывала, подушки. Рынок пестрый, яркий, шумный и красочный. Здесь продают свои поделки даже евреи из Эфиопии. Новые иммигранты сохраняют древние традиции ремесел эфиопского еврейства, создавая керамику, вышивки, изделия из соломы так, как это было принято делать в их родных деревнях. Беэр-Шева — это ворота в пустыню Негев... Въезжаем.

2. Сюрпризы пустыни

Мицпе Рамон

То, что мы здесь, в пустыне, увидели, описать трудно, да и слов, чтобы это передать в языках человеческих, в общем-то, нет... Космический пейзаж, нет, не пейзаж — вид, нет, не вид, — картина, нет, не картина, — кадр из фантастического фильма! Потрясающий бесконечный обрыв... кратер. На краю кратера Рамон, на высоте около 300 метров, стоит городок Мицпе Рамон. Этот приятный тихий городок, построенный, кажется, так, чтобы не контрастировать, а органично вписываться в пейзаж, состоящий из крупнейших в Негеве кратеров, между скал, гор и родников, в последнее время стал процветающим туристическим местом. Мицпе Рамон был основан в 1951 году. Несколько десятилетий назад, когда туризм в пустыне начал развиваться, в Мицпе

Рамоне построили отели с прекрасными номерами, и сейчас здесь можно хорошо отдохнуть, интересно провести время: отели предлагают сотни всевозможных туристических развлечений и услуг.

Сегодня Мицпе Рамон стал, кроме всего прочего, местом комфортной остановки для туристов пустыни. В южной части города есть широкий выбор больших отелей, маленьких частных гостиниц и кемпингов. Это отправная точка для путешествия по округе на джипе, велосипеде или верблюде. Здесь, спускаясь вниз с крутой скалы, любители острых ощущений могут получить реальный выброс адреналина.

Придя в себя после, как сказали бы японцы, «трех часов любования» кратером, можно сходить в зоопарк и посмотреть на местных животных — обитателей пустыни: змей, ящериц и млекопитающих. В восточной части Мицпе Рамона расположен большой парк скульптур, а на западе — единственный в своем роде питомник милейших и элегантных лам альпака. Кратер с неземным видом и местность вокруг него полны чудес. Здесь есть очаровательные уголки природы, древние исторические памятники, жуткие и опасные туристские тропы и бесконечные просторы... и потрясающе красивая пустыня.

Теплицы вдоль дороги

Бесконечные теплицы здесь, в пустыне, по которой едешь-едешь, а все конца нет, впечатляют. Они тянутся вдоль автомобильных дорог, все время заставляя думать о том, кто же их здесь в таком количестве понастроил и самое главное — кто все эти площади обрабатывает. Не могут же все делать компьютеры... Или могут? В Израиле могут. Мы еще вернемся много раз к теме открытий и изобретений, которыми изумляет эта небольшая страна. Площадь теплиц на территории Израиля, имеется в виду их общая площадь, а не только здесь, на юге страны, — более трех тысяч гектаров. Это результат, скорее всего, того, что жаркий и засушливый климат, совсем неплодородная почва (смотришь иногда на необработанную землю, а там камней больше, чем земли) и недостаточное количество воды заставили израильтян искать необычные решения на тему, как получить высокий урожай при таких, прямо скажем, фиговых погодных и климатических условиях. Надо было что-то сделать, чтобы урожай от них не зависел. И тогда придумали тепличное хозяйство.

В начале девяностых меня удивляло, сколько у нас на севере заводов, производящих все для систем капельного орошения. Такие заводики были и в кибуцах, и в городах. Тема ороше-

ния была и остается очень популярной, хотя как проблему ее, по-моему, решили в Израиле на сто процентов. Выращивается все что угодно на территориях, совершенно не пригодных для сельского хозяйства. Ирригационные системы работали двадцать лет назад, поливая невысокие фруктовые сады, и сейчас работают так, что поливается отдельно не только каждое деревце, но, мне кажется, каждый кустик клубники и каждый ус этой клубники. Помню, как моя бабушка на даче под Москвой боролась с этими усами и заставляла меня поливать ее сад-огород из лейки каждый вечер. Но какое счастье было получить первую мисочку клубники и первый игольчатый огурчик!

Здесь все как-то само собой разумеется: и что клубника гроздьями свисает с кустов, и что огурцы, те самые российские с пупырышками, не заставляют себя долго ждать благодаря использованию специальных пленок, которые создают для растений комфортную среду и обеспечивают необходимое тепло и увлажнение. Сорняков нет, не вырастают вообще, все продумано. Различных вредителей тоже не видать, не заходят они сюда, что-то здесь предусмотрено такое, что им не нравится в теплицах. Все отслеживается и контролируется компьютерными программами. Опять же селекционеры работают не покладая рук, но главное действующее лицо во всей этой истории — компьютер. Он определяет, когда поливать растения и сколько необходимо воды. Количество удобрений, нужных каждому росточку, тоже вычисляет компьютер, исходя из типа растения и его возраста. Придуманы солнцезащитные экраны и сетки, потому что, когда на улице плюс 30−40° С и в машину, стоящую на солнцепеке, не сесть, то что могло бы твориться в теплицах, можно легко угадать. Однако благодаря экранам внутреннего перегрева теплиц не происходит. Теперь я не удивляюсь, когда в магазинах разных стран часто встречаю овощи-фрукты из Израиля. В прошлом году меня уже не шокировала израильская органическая морковка в Москве.

Периодически в Израиле устраивается выставка сельского хозяйства. Чего там только нет! Однако основное впечатление производит не ударный труд и энергия работников, которые сажают и пропалывают, — испытываешь настоящее потрясение от того, какие же мудрые головы столько всего придумывают. Показывают на выставке то, что научились выращивать, а это (только за последние годы) сладкие перцы, арбузы и дыни на деревьях, черные помидоры. Выставка проходит в пустыне, занимающей половину территории Израиля, с бесконечными рядами теплиц, которые мы проезжали по дороге в Эйлат и о которых я уже упоминала.

Клубнику и землянику выращивают в подвешенном положении, при этом компьютер внимательно следит за состоянием растений, «смотрит», когда их нужно полить. За все отвечают только компьютерные программы и несколько человек, контролирующих процесс. Люди приходят в теплицы, где за влажностью и температурой также следят компьютеры, только для того, чтобы определить, когда собрать урожай. Все бахчевые тоже свисают сверху и растут вверх, цепляясь за специальные решетки. А кто сказал, что они должны ползти по земле, где подвергаются атаке разных вредителей и где они скорее могут испортиться? Арбузы и дыни, растущие таким образом, специально выведены маленькими. Один арбуз — это примерно порция арбуза для одного человека, чтобы он почувствовал себя, скажем так, хорошо.

Очень многие виды овощей выращивают в теплицах. Селекционеры развлекаются, выводя маленькие огурчики, красивую морковку, цветную капусту, зеленые и ярко-желтые цукини или перец без косточек.

Поскольку в последнее время всей этой продукции переизбыток, Израиль стал активно экспортировать свои фрукты-овощи в другие страны.

Здесь нет полезных ископаемых, кроме недавно найденного в море газа, зато ежегодно изобретается куча новых технологий. Мир эти технологии у Израиля покупает и с удовольствием использует. Ну и на здоровье. Помню, когда я работала в Москве в Институте генетики, однажды моему начальнику коллега привез в подарок израильскую картофелину, чтобы тот посадил ее на даче. Дарил он заморский корнеплод с видом заговорщика.

Многие страны покупают израильскую картошку, а некоторые, например Индия, закупают заодно и саму технологию ее выращивания. А что? В Индии картошку любят. Я много раз пробовала их национальные блюда, там очень часто смешивают рис, морковку, лук, картошку, и получается что-то очень вкусное. Правда, было бы совсем вкусно, если бы благоуханные специи не сыпались так щедро.

Основа израильских технологий — компьютерные программы для процесса, который управляет ростом овощей и фруктов. Обязательно применяется капельное орошение. Компьютер следит за состоянием почвы и количеством минералов. Не знаю, много это или мало — 15 тонн с гектара, но недавно я прочитала статью, в которой подробно рассказывалось о внедрении израильской технологии в Индии, где счастливые индийцы, которые, кстати, тоже очень любят все, что связано с компьютерами и программированием, теперь собирают пятнадцать тонн картофеля с гектара.

Выводят много необычного, недавно в телевизионной программе рассказывали о сладком красном перце, маленьком и без косточек. Создатель или кто-то из его коллег сказал, что главной идеей было придумать что-то для детей, чтобы они не хватали чипсы и конфеты, а с удовольствием ели что-нибудь полезное.

Я не знаю подробностей о сельском хозяйстве Европы или Австралии, например, наверное, там тоже все в порядке, но ведь у них и климат нормальный, без хамсинов и постоянной нервотрепки: опустился уровень озера Кинерет зимой — не опустился уровень Кинерета, отступил берег Кинерета — не отступил берег Кинерета, пойдут дожди — не пойдут дожди... Ну, правда, на этот случай есть религиозная прослойка населения страны, они для того, чтобы молиться. Нет дождей — молитвенник в руки и вперед! Это серьезно, когда нет дождей.

Мне кажется, что Израиль в сельском хозяйстве на сегодняшний день если не лидер, который «впереди планеты всей», то уж точно пример для подражания. Многие страны могли бы воспользоваться этим примером использования самых последних открытий науки в сельском хозяйстве. И вот еще что интересно: израильские овощи (огурцы, помидоры, кабачки) — вкусные, то же самое можно сказать и про фрукты и ягоды, что в современном генно-модифицированном мире — большая редкость, я бы сказала.

Осетр плавает в пустыне

Вы мне можете не поверить, если я вам скажу, что выращивать рыбу можно в пустыне при практически полном отсутствии пресной воды с использованием только соленой морской воды. Сначала пришла мысль о создании бетонных прудов, потом наши подкинули идею: «А почему бы не осетрина, она вкусная...» Потом, когда пруды были готовы и рыба начала метать икру, к идее охладели, потому что осетр — рыба некошерная, ведь она без чешуи. Но все-таки решили: «Ладно! Будем разводить этого осетра, все-таки русские его любят, пусть кушают на здоровье, а черную икру можно в конце концов продавать любителям за границу».

Кругом пустыня, занимающая полстраны, окружение доброжелательное, жара, время сложное, эпоха... ну вы помните. Ничего не попишешь, таковы условия выживания евреев на Земле обетованной, но все это не только не обескуражило их, а скорее подстегнуло, вынудило создавать все новые системы, находить неожиданые подходы для решения задачи поизводства рыбы, что оказалось очень актуальным в современном мире при все большем ограничении запасов пресной воды, а соответственно и природных рыбных ресурсов, особенно в Израиле, где единственный источник пресной воды — озеро Кинерет, не считая горных речек. Может, интерес к этой затее был связан с тем, что миллионы выходцев из России познакомили мир с рыбным деликатесом, особенно в южной части страны.

Я не специалист, поэтому расскажу вкратце то, что я поняла, увидев это чудо: построено несколько замкнутых водоемов, то есть попросту бетонных прудов-коробок, чтобы вода не терялась (разве что только за счет испарения с поверхности); в них с помощью специальных компьютерных программ поддерживаются те райские условия жизни и роста здоровенных рыбин из породы осетровых, которые и дают ту самую черную икру, а цена на нее в последние годы во всем мире подскочила. Программы, созданные гениальными компьютерщиками, поддерживают постоянную температуру воды, оптимальный уровень кислорода в воде, обеспечивают автоматическую подачу двух разновидностей рыбьей еды: плавающей и тонущей, а также контролируют другие параметры. Это до минимума сократило обслуживающий персонал. Целенаправленная работа селекционеров ведет к улучшению породы рыбы. Условия ее содержания тоже совершенствуются. В то время как во всем мире, в том числе и в России, популяция осетровых в естественных условиях сократилась в десять раз.

Помимо прудов для рыбы, есть еще один, который с помощью водорослей и микроорганизмов естественным образом очищает воду от отходов рыбы при помощи правильно разработанного принципа биологического равновесия всей системы. Я знаю это еще по своему опыту содержания домашнего аквариума, который практически не требовал ухода и очистки, когда в нем правильно были подобраны рыбки, водоросли и ракушки: вода всегда была прозрачной, и стенки аквариума оставались чистыми. Если добавить, что выращивание рыбы в искусственных водоемах эффективнее и легче, чем в открытых, становится понятным интерес всего мира к израильскому эксперименту.

Сообщение о том, что бассейны начали работать, изумило всех — в Израиле посередь пустыни стали разводить осетровых и получать черную икру! Почему в пустыне, где нет воды? Наверное, потому, что места много и никто не мешает. Карпов разводят давно и на всей территории страны. На севере, в Галилее, всегда было привычным зрелищем озерцо, где никто не купается, потому что все знают, что там разводят рыбу. Относительно недавно израильтяне активно занялись лососевыми и нежданно-негаданно вышли на 4-е место по продаже икры, которая сегодня стоит 5000 долларов за килограмм, а теперь взялись за разведение морской рыбы. Кстати, здесь выращивают разные сорта морских рыб, например, австралийского сибаса.

Научная мысль работает, так что неизвестно, о каком открытии может быть объявлено в ближайшие годы. А пока на один кубический метр воды выращивают около 170 кг осетровой рыбы в год. Автоматический контроль за микроклиматом позволяет в течение всего года выращивать рыбу, которая почему-то вырастает здесь до взрослого состояния за семь лет (имеется в виду осетр), тогда как в природе — за пятнадцать. В России последние годы производство осетра упало, и цена черной икры на международном рынке выросла неимоверно, говорят, в десять раз. Черная икра всегда была дорогой, а теперь и вовсе стала одним из самых дорогущих деликатесов. Раньше над заявлением, что Израиль собирается экспортировать икру в Россию, просто посмеялись бы. Теперь никого не удивляет, что он продает ее в такие страны, как Япония, не говоря уже о Европе.

Утопическая идея, как казалось вначале, сейчас реально может помочь голодающим в Африке, плюс, по-моему, что-то очень положительное просматривается в этой идее еще и потому, что океан, из которого все только черпают и черпают, остается совсем непричастным к разведению рыбы в бетонных бассейнах израильской пустыни. Море никто не трогает, а рыбу получают, впрочем, здесь до ближайшего моря 300 километров. Рыба-то морская, поэтому и воду она получает морскую, из километровой скважины.

Коровы и молоко

Вдруг по дороге в Эйлат, когда оставалось ехать еще часа три, показался памятник корове в полный рост и рядом с ним магазинчик, кафе со столиками в помещении и на улице, где мы, конечно, остановились и увидели кроме обычной ресторанной еды большое разнообразие творога, сыров, как в Париже, мягких, и твердых, и очень твердых... и очень мягких, йогуртов, «коттеджей» — мягких творожков крупицами, кефира и сметаны. Хотя было уже поздно и темно, мы сделали остановку и пошли «обедать». Все эти молочные продукты привозят сюда с ферм, находящихся, судя по всему, недалеко. Ну не из Галилеи же такую роскошь сюда везут.

Расскажу вкратце о молочных фермах, благо, что я их повидала достаточно, многие мои приятели живут в кибуцах. Израиль сегодня — мировой лидер по части использования новых и нестандартных технологий для получения молока. Какие вкусные молочные продукты в этой стране и как тяжело было привыкать к западным йогуртам и сметане после израильских, невозможно передать словами. Может быть, корни генетической любви к животным и понимания их природы идут из тех стародавних времен, когда в маленьких еврейских поселениях люди жили буквально одной жизнью с домашними животными, а может, все дело в огромной энергии иммигрантов и их желании реализоваться.

Причина успеха, я думаю, не только в этом, но и в хорошо продуманной и постоянно поддерживаемой правительством политике, стимулирующей научные открытия и их внедрение в производство, содействии малому и среднему бизнесу на всех этапах, стабильности инвестиций. Ну и еще — в любви к жизни и ценности каждого мирного дня. Люди знают, что работают на себя, на свою страну. И конечно, метод управления с помощью специальных компьютерных систем работает замечательно, иногда огромную ферму обслуживают всего два человека. Компьютерные программы позволяют не только сократить персонал, но и организовать весь сложный процесс кормления и содержания животных, совершенствовать селекционный отбор, повысить эффективность, а также гарантировать качество благодаря индивидуальному контролю за каждым животным. Ко всему этому добавьте специальные вкусные и питательные корма со всевозможными добавками, улучшающими питательные качества и способствующими увеличению лактации, и вольные прогулки коров по зеленым холмам. Отсюда и рекордные надои, достигающие у средней израильской буренки 11 тысяч литров молока в год. Еще раз повторю, что это в среднем. Для сравнения: среднестатистическая европейская корова дает пять-шесть тысяч литров молока в год.

Для того чтобы правильно пользоваться всеми преимуществами современных технологий, необходимо вести постоянную регистрацию и обрабатывать имеющуюся информацию. Так что грамотное управление молочной фермой начинается с правильного построения управленческой иерархии и качественного подбора персонала. Израильская методика управления заключается в тщательном сборе всех нужных данных и в постоянном контроле менеджера за всем, что происходит. Даже имея самое лучшее оборудование, израильские фермеры понимают, что основой успешного производства является человеческий фактор, или назовем его «капитал». Так мы пришли к мысли, что главным «природным ресурсом» Израиля остается человек, изобретательный и трудолюбивый выдумщик и фантазер, тот самый, который «по образу и подобию», от Адама и Евы.

Вкус жизни

Мы попробовали несколько сортов сыра, набрали с собой йогуртов, попили в ресторанчике у дороги кофе и поспешили дальше. Я все любовалась на закат и горы, переливающиеся самыми удивительными оттенками охристо-бежевого цвета, названия которому я не знаю, возвышающимися над неожиданно возникшим светлым Мертвым морем, и не обращала внимания на теплицы, которые непрерывно продолжали километрами тянуться вдоль дороги. Бесконечные сады: фруктовые, ореховые. Открытые и закрытые, высокие и низкие теплицы, ухоженные до невозможности, с оросительными фонтанчиками, проведенными к каждому деревцу и кустику. Чего там только не было: клубника и апельсины, кукуруза и морковка, помидоры и свисающие с ветвей бананы (эти не в теплицах, а просто так, вдоль дороги), каждая банановая связка обтянута отдельным синим целлофановым пакетом. Конца теплицам не было. Сколько раз я видела в Израиле обработанные орошаемые поля, но ни разу не замечала кого-нибудь, работающего на этих полях. Вот бы увидеть того, кто фонтанчики под кустами включает!

Иногда вдоль дороги возникали поселения бедуинов. Наконец появился маленький рынок, где мы купили свежих овощей и орехов и поехали дальше. Около рынка стояли «корабли пустыни» — два верблюда — и спрашивали глазами и всем своим выразительным видом: «Что это вы здесь, в нашей пустыне, делаете?» Бедуины живут в своих карточных, вернее матерчатых домиках недалеко от дороги. Их хижины выглядят страшнее войны, но около многих избушек стоят хорошие машины. Я их и раньше понять не могла, а теперь — куда уж, ну вот так они живут, нравится им так, и верблюдам их нравится. Зато пустыню они обошли вдоль и поперек, знают ее как свои пять пальцев. В армии они служат в специальных разведывательных войсках, а живут вот так, в каких-то непонятных шалашах с накинутым сверху чем-то вроде брезента. А вообще... какая разница, как жить, главное — чувствовать вкус жизни, понимать, что живешь здесь и сейчас, и радоваться солнцу, морю, хамсину, фруктам и йогуртам.

Жаль, что я не понимала этого двадцать лет назад, воспринимала все серьезно, не давала себе возможности расслабиться и отдохнуть, задыхаясь от ответственности, когда такая красота кругом. Все необходимое было всегда. А много ли надо человеку для счастья? Хорошо, что в силу молодости и природного оптимизма я никогда не болела этой национальной израильской болезнью под названием «шла по Дизенгофу болонка и рассказывала, как она была сенбернаром», а только вежливо слушала байки других, более старших, о том, какими они были большими начальниками, как минимум главными инженерами или докторами наук, в своих родных русских, украинских и других городах и как низко пали здесь, в Израиле, со своих великих должностей.

Когда стемнело, вдалеке заблестело темно-синее Красное море, и вскоре мы въехали в Эйлат.

Эйлат

Какие прекрасные дороги! За годы моего отсутствия дороги стали еще лучше, плюс установили, по-моему, как минимум по одному светофору на душу населения, я уж не говорю о высоких красивых фонарях, что здесь, на юге, что на севере. Наша «дорога жизни», как ее шутя называли, шоссе из Кирьят-Шмоны на юг в сторону Тверии, тоже теперь вся освещена фонарями, так что ночью едешь, а светло как днем. В Эйлате мы планировали провести четыре дня, а потом медленно двинуться в мой родной город Кирьят-Шмону, находящийся на самом севере страны, севернее которого только Метула. Эйлат — город современный, все в нем сделано для туристов: красивые набережные, высокие гостиницы, рестораны, пляжи, аттракционы — ну прямо курортный город Сочи. Около моря шеренгами выстроились прекрасные гостиницы. Есть огромные, есть и небольшие, с кухнями прямо в номерах, где при желании можно готовить.

Вечером приятно пройтись по набережной. Все выглядит очень современно и вообще высший класс. Выступает фокусник, карандашом рисует портреты художник. Разговорились с ним, оказалось, что он местный житель, уже много лет здесь, а родом из Англии, из Ливерпуля. Ну раз такое дело, поговорили про «Битлз». Женщина катает на пони детей. У нее три пони. Низкорослые лошадки понимают, что они на работе, и послушно ждут, когда на спину посадят очередного ребенка. Женщина рассказала, что взяла их в каком-то питомнике больными, один был и вовсе не жилец, всех выходила, и теперь вот такой у них бизнес. Совсем стемнело, но набережная не пустеет, а живет своей жизнью, как днем. Звучит музыка, и море шумит, призывая окунуться. В первый день мы не решились это сделать, все-таки еще была ранняя весна и вода не прогрелась. Утром мы уже не думали о том, что вода холодна; быть рядом с прозрачным чистейшим Красным морем и не сделать заплыв, не увидеть этих разноцветных рыбок, которые на глубине пяти метров так же хорошо видны, как и на расстоянии вытянутой руки, — невозможно.

Расслабуха на воде

Так в вольном переводе называется дельфинарий в Эйлате, потому что он представляет собой уходящий в море деревянный настил с накиданными на него матрасами, где можно сидеть и лежать, наблюдая за дельфинами, которые плавают, прыгают и играют вокруг. А их тренеры все время объясняют, что они наблюдают дельфинов и просят их в порядке развлечения выполнить какие-нибудь трюки, если тем угодно, и ни в коем случае не дрессируют, потому что они вообще совершенно запутались, кто здесь кого наблюдает и тренирует... Дельфины занимаются лечением больных детей и взрослых, которых сюда специально для этого привозят, и выступают с номерами для всех желающих посмотреть, опять же, если им угодно. «Сами мы не местные, нас сюда из Черного моря привезли поработать по контракту более сорока лет тому назад, вот прижились», — как будто бы говорят дельфины.

Мы почувствовали, что перегрелись, и встали с матрасов. Уходя, прикупили жемчуга в магазинчике, находившемся тут же, на территории дельфинария.

Все на «ты» со всеми

Мне в силу характера всегда легче спросить у людей, как куда-то добраться, чем изучать карту или забивать в навигатор буквы. Так было и в Эйлате: я останавливала людей и вежливо спрашивала, грамотно выстраивая фразы на слегка подзабытом иврите. Мне объясняли без затей. Все свои, все по-домашнему. Но на второй день отдыха в Эйлате я стала замечать странную вещь: я задавала вопросы на иврите, а отвечали мне по-английски. Может, оттого, что это город туристов? Из раза в раз повторялась одна и та же ситуация. Ну ладно бы по-русски отвечали: и внешность у меня со стертым национальным признаком, и вообще я крупная белая женщина, при виде которой грузины и марокканцы сразу понимают, что я из России. Что теперь-то случилось?! Я недоумевала; не люблю, когда не могу что-то понять.

Я говорю в магазине кассирше на прекрасном иврите: «Дай мне, пожалуйста, пластиковый пакет...» — она меня по-английски спрашивает: «Do you need a plastic bag?» Что случилось за эти десять лет, проведенные мной в Канаде? Кленовый лист, что ли, у меня отпечатался на лбу? А ларчик просто открывался: все выяснилось через несколько дней, когда, стоя у кассы в магазине города Кирьят-Шмона, я замешкалась, разыскивая в большой сумке кошелек.

— Ну так ты будешь платить или нет?! — заорала ивритоговорящая кассирша.

— А ты что, не видишь, что я делаю?! Кошелек ищу! Найти не могу, нервничаю!

— Я понимаю! Давай ищи быстрее! — примирительно проворчала на иврите кассирша. Вы поняли, что фразу про поиск кошелька я тоже прокричала на иврите. Тогда меня и осенило, почему в Эйлате меня принимали за англоговорящую: я слишком тихо и вежливо говорила, со всеми этими идиотскими западными любезностями типа «извините-простите-спасибо» через слово. А так говорить на иврите не-до-пус-ти-мо!!!

3. Медицина

Система больничных касс

Больничные кассы («купат холим») — это в нашем понимании почти поликлиники или просто клиники. Здесь находится кабинет участкового или семейного врача-терапевта, который в курсе вашего состояния здоровья и держит всю информацию о том, чем и когда вы болели, какие лекарства принимате или принимали 10 или 30 лет назад. Все в компьютере, картонных карточек я здесь никогда не видела. Тут же есть данные обо всех анализах, тестах и госпитализациях. Захочешь скрыть — не скроешь.

Оплата медицинской страховки вычитается автоматически, она небольшая, если сравнить с американской — просто крошечная. Все граждане Израиля имеют медицинскую страховку. А вот какую больничную кассу выбрать — это личное дело каждого. Моя семья все годы была в «Макаби». Почему? Не знаю, просто

57

она мне подвернулась в первый год жизни в стране, и еще она совсем рядом с домом была. Проблем не возникало никаких, в очереди я никогда больше десяти минут не сидела, да и не было очередей. В регистратуре за компьютерами работают девушки, которые записывают к разным специалистам. Терапевты на работе ежедневно, хирурги, геникологи — почти каждый день, раза четыре в неделю, дерматолог принимает в нашей клинике три раза в неделю. Чем более экзотический специалист, тем реже он приезжает и принимает пациентов.

Однажды мне пришлось записать старшую дочь к пластическому хирургу, чтобы он убрал родинку на ее спине. Дело в том, что дочь прошла перед армией, в 17 лет, комиссию, и ее направили разобраться с родинкой, поскольку во время службы пришлось бы много находиться на солнце, а это опасно. Закончив поцедуру на спине юной натуральной блондинки, молодой «пластикаи» (пластический хирург), сняв резиновые перчатки, грустно сказал, томно вздохнув: «Твоя дочь такая красивая...» Ну что же — израильтяне ценители женской красоты, а уж когда речь идет о блондинках, тут каждая первая для них красавица.

Моего отца, который до переезда в Израиль перенес два инфаркта, много лет наблюдал прекрасный кардиолог. Я думаю, что сама страна подарила отцу десять лет жизни: считается, что климат севера Израиля очень хорош для сердечников. Плюс — медицина: специалисты и оборудование прекрасные. Я знаю, что меня начнут критиковать те, у кого есть какой-то негативный опыт, но мой опыт именно таков, поэтому пишу о том, что испытала на себе. А испытала я, например, вот что: было время, когда ходила какая-то вирусная инфекция, проявляющаяся как простуда или грипп, но иногда дающая осложнение на легкие. Так случилось и у меня — после какого-то небольшого насморка с кашлем вдруг началось воспаление легких. Все это было бы полнейшей ерундой, если бы не то обстоятельство, что я была на шестом месяце беременности. Принимать лекарства нежелательно или вовсе нельзя, антибиотики... говорят, в экстренных случаях можно, но я бы и под дулом пистолета их в таком положении употреблять не стала. Что делать? Меня за три сеанса массажа легких банками вылечил пульманолог доктор Роман, который, кстати, и поставил диагноз «воспаление легких», а доктор Марк сделал еще несколько каких-то мудреных физиотерапевтических прогреваний. И через две недели я была совершенно здорова и плавала в бассейне. Не было в моем окружении таких врачей в Москве, хотя, безусловно, они там есть, мне просто не везло. А здесь что ни врач, то изобретатель каких-то своих методов лечения и лекарств.

Клиники и больницы Израиля пользуются популярностью у иностранцев, которые приезжают сюда с разных концов планеты, из России в том числе. Недавно отец моей московской знакомой серьезно заболел после пожаров 2010 года. Дети отправили его лечиться в Израиль. Страшная болезнь отступила, и их восьмидесятилетний отец снова вернулся к своему любимому занятию — велосипедным прогулкам по Москве.

Первая в мире пересадка сердца была сделана здесь, в Израиле. Вообще кардиология в этой стране вышла на высочайший уровень и вызывает интерес врачей и ученых разных стран.

Именно в Израиле на радость женщинам была придумана и создана первая противозачаточная таблетка. Хотя о побочных эффектах таких препаратов много спорят, факт остается фактом. Успешно борется страна и с бесплодием. Женщины приезжают с разных концов света, чтобы сохранить беременность, выносить детей в условиях местных клиник. Есть и еще один эксперимент, который прошел успешно, хотя женщины пошли на это с горя. Несколько случаев стали широко известны: матери солдат, погибших во время военных столкновений, в возрасте под шестьдесят лет с помощью новых медицинских методов смогли забеременеть, выносить и родить детей. Об этом сняли интереснейший фильм. Дай бог этим женщинам здоровья и сил вырастить своих поздних деток.

Антибиотики

Кто плавает в Красном море в марте месяце? Точно не израильтяне, они мерзнут до первых весенних хамсинов. Объясняю для тех, кто не в курсе: «хамсин» в переводе с арабского — «пятьдесят». Это ветер с пустыни, который дует пятьдесят дней в году. Его легко узнать: примерно дня на три над Обетованной нависает мутное жаркое марево из мелкой пыли, ветра особо сильного нет, но жара стоит несусветная. Это прелестное природное явление заканчивается так же неожиданно, как и начинается, и все про него забывают до следующего хамсина. Обычно это случается весной и осенью. Мне запомнились самые мощные хамсины в сентябре-октябре, особенно те, что выдавались на мой день рождения. Хотя вообще все это дело привычки. Я всю жизнь больше страдаю от холода, который меня буквально парализует и вгоняет в тоску. Жара повеселее; хотя, конечно, многие со мной не согласятся.

Вот я и сделала несколько заплывов в прозрачной воде Красного моря, и у меня заболело горло. Ясно было, что начиналась ангина, а значит, нужны были антибиотики, которые иначе как по рецепту не продают. Мой давнишний друг доктор Давид примчался с букетом каких-то пушистых шикарных белых цветов из Герцлии и с рецептом на антибиотик, который радостно выписал на свое имя. «Да, да, у меня теперь ангина!» — весело сказал он. Под бутылку водки пошли воспоминания одно другого ярче: первые годы жизни в этой стране, поддержка друг друга, семейные драмы, любовь и ненависть, отчаяние, жара, экзамен на врача, который он сдавал 13 лет и сдал наконец, аутотренинг с группами (по российскому образованию Давид психиатр, в Израиле же он терапевт и геронтолог), бомбежки... хотя нет, это я что-то путаю. Какой житель славного города Кирьят-Шмона, где все без исключения жители — фаталисты, станет, встретив старого друга, вспоминать такую фигню, как бомбежки? Мы и в бомбоубежище-то никогда не спускались, иногда для порядка отправляли туда детей с собакой, они там рисовали и смотрели телевизор, пока взрослые логично объясняли друг другу, что траектория «катюши» такова, что она на наш дом упасть не может, поскольку он стоит под горой, хотя вопреки логике падали «катюши» в самых неожиданных местах. Мы с Давидом жили в одном доме. Поговорили о медицине в Израиле, вспомнился единственный случай, когда и я оказалась в больнице, вернее, в родильном отделении, в сентябре 1997 года. В 1995 году я вышла замуж во второй раз.

Участие в собственных родах в роли наблюдателя

— Все! Хватит выжидать, срок у тебя 39 недель, ребенок готов, отправляйся в больницу рожать, — сказал доктор Азуги.

— Ну, может, еще пару дней подождем, у меня завтра день рождения... — робко пыталась я быть убедительной.

Делать нечего, я привыкла слушаться врачей; поэтому мы с мужем бросили в машину приготовленную заранее сумку с вещами и поехали в больницу в город художников и каббалистов Цфат, что в 40 минутах езды от нас. Кстати, первый человек, которого я увидела в больнице, был доктор Азуги, по-хозяйски осматривающий свои владения. Я не удивилась — здесь такой порядок: врач день работает в клинике на приеме пациентов, день дежурит в больнице, сам ставит диагноз, сам же делает операцию как практикующий хирург. Врач, наблюдающий женщину девять месяцев, сам и роды принимает, если выпала его смена.

Клиники, или, как их называют местные жители, «больничные кассы», существуют для приема пациентов, сюда приходят к своему терапевту и врачам-специалистам, большинство из которых здесь же постоянно и принимают. Никаких направлений от терапевта, чтобы записаться даже к самому экзотическому специалисту, не нужно. Взбрело в голову — записался, специалист приехал. Приходишь в назначенный час, ждешь пять минут (израильтяне дольше ждать не могут), и тебя принимает, например, «пластикаи» — пластический хирург. К каждой больничной кассе, куда гражданами Израиля ежемесячно перечисляются небольшие деньги, прикреплена сеть больниц в разных городах. Не хочешь лечиться в Цфате — отправляйся в Хайфу или Иерусалим, от нашей больничной кассы «Макаби» есть больницы и там... Только зачем далеко ехать, непонятно.

Медицина в Израиле платная, и обслуживает она все население без исключения. Я не встречала человека, который не состоял бы в больничной кассе, деньги на которую обычно автоматически вычитаются из зарплаты, пенсии или пособия. Это совсем не так, как в Америке: есть деньги — покупаешь медицинскую страховку, нет денег — живешь на свой страх и риск без нее.

А вот зубные врачи имеют свои частные кабинеты, и платить им, как и везде, нужно горы денег из своего кармана. Хотя существуют государственные стамотологические клиники, куда идет народ, если есть показания. Например, моему брату под общим наркозом удаляли в такой клинике в Тверии сразу все обнаруженные рентгеном четыре зуба мудрости. Частные клиники и больницы в Израиле тоже есть.

Цфат расположен высоко на горе, там прохладно, зимой выпадает снег. Передвигаться по нему пешком трудно, потому что все время с горки на горку, с лестницы на лестницу. А вокруг обрывы, покрытые густой зеленью, а над ними синеющие вдали горы, куда садится оранжево-розовое солнце, громадное и размытое за облаками, неподвижно лежащими ниже гор, на уровне твоих глаз.

Незадолго до родов я была здесь на концерте Геннадия Хазанова, который сказал, что ему грустно стало от этой красоты и мысли пришли неожиданные.

— Я подумал о том, что всю жизнь собирал портреты русских царей, изучал их биографии и ничего не пытался узнать об истории собственного народа... — печалился Хазанов, и вековая тоска еврейского народа туманила его

большие черные хитрые глаза. А потом были «Кулинарный техникум», «Нам дали добро на стриптиз» и прочее, и единодушный хохот зрителей, и аплодисменты, заполняющие концертный зал.

Теперь вот — больница огромная, еле нашли женское отделение. Если я скажу, что медицина в Израиле лучшая в мире, а я так скажу, то воспринимайте это как мое субъективное мнение. Да и с чем я могу сравнить? С Канадой, Россией, Америкой и Англией. Не густо, но когда в 2001 году я впервые пришла в клинику в Торонто и увидела регистратуру с бесконечными рядами карточек на полках, как в годы моей юности в Москве... увидела, что доктор, у которого на столе стоит компьютер, заполняет от руки карточки, а результаты анализов тебе не дают без письменного разрешения врача... Все это было, мягко говоря, странно после почти десяти лет, проведенных в Израиле, где на входе в каждую больничную кассу стоит квадратный автомат: нажимаешь кнопку — получаешь результаты последнего анализа крови и все, что нужно, а доктор, у которого нет на столе ничего, кроме компьютера, проводит твоей магнитной карточкой и видит о тебе все, вплоть до насморка, который был у тебя в январе 1992 года по причине адаптации к новой стране с непонятным климатом. Таким образом прием пациентов организован давно, во всяком случае, в начале девяностых все было именно так, и поверьте, сегодня порядки не стали хуже.

Меня привели в палату, где на одной кровати лежала женщина на сносях, а на второй ее муж, который, увидев меня, встал и пересел в кресло. Я подумала: а зачем он мне здесь? И попросила отвести меня в другую палату, где никого нет. В больнице людей было мало, поэтому мне дали другую палату, и мой муж остался со мной. Был вечер. Мы долго гуляли на закате вокруг больницы, надеясь, что роды начнутся, и с удивлением обнаружили, что со стороны обрыва и гор у больницы есть свой аэродром — большая плоская площадка, куда садятся вертолеты с солдатами, раненными при боевых действиях, и людьми, пострадавшими от террористов.

Утром пришли мои родители и старшая дочка, принесли подарки и коробки с шоколадными конфетами: было 13 сентября, мой день рождения. Я прошлась по палатам, раздала женщинам конфеты. Хотелось сбежать в город, в ресторан, но врачи не разрешали, проверяя меня на своих приборах через каждые несколько часов. Младшая дочь решила появиться на свет только 15 сентября. Когда я почувствовала боль от начавшихся, еще совсем слабых схваток, меня отвели в специальную комнату, где вокруг было штук семь экранов: один контролировал мое сердце, другой — сердце ребенка, третий — его состояние, четвертый — мое давление и еще что-то, а на одном из мониторов я могла наблюдать силу и частоту схваток.

— Вот видишь, сейчас уровень схваток 2—3 единицы, схватки еще не сильные... — говорил врач.

И тут в комнату вошли два веселых анестезиолога и с шутками-прибаутками, называя друг друга Мишаня и Борюсик, вкололи мне в спину «эпидураль». Меня хвалили, говорили, что я очень терпеливая женщина, потому что без истерик перенесла укол. Господи, знали бы они, как 14 лет назад в Москве я рожала старшую дочь целые сутки сама по себе, акушерка пришла лишь под конец, и как меня потом зашивали по-живому! А здесь укол видите ли, делов-то.

Я родила младшую дочь за четыре часа, совсем без боли, весело беседуя с врачами о разном и с удивлением наблюдая, как прибор, показывающий силу моих схваток, зашкаливает, подбираясь к уровню восьмерки. Наверное, если бы я чувствовала, было бы очень больно... Никаких разрывов, никаких последствий.

Утром дали чек на тысячу шекелей — подарок от государства — и сумку с одеждой и другими вещами для ребенка, подержали три дня в больнице, чтобы проконтролировать мое давление, и отпустили домой, где уже обрывали телефон ученики, не понимая, куда это я исчезла так надолго.

Через несколько дней мне единоразово выплатили мою трехмесячную преподавательскую зарплату, и мы занялись достройкой второго этажа на эти деньги. В Израиле есть правило — можешь уйти в декрет на три месяца после родов, за эти три месяца выплачивают сразу среднюю трехмесячную зарплату. Потом можно взять еще четвертый месяц, но уже за свой счет, что делают почти все женщины, чтобы подольше побыть с ребенком.

Я и не знала, что в городе есть специальный кабинет, находящийся вне больниц и клиник, где занимаются новорожденными детьми, наблюдают за их развитием, делают прививки, учат молодых мам правильно обращаться с детьми, но об этом я расскажу в другой главе.

4. Где ни копни — святыня

Мертвое море

Каждый раз, когда сижу на берегу Мертвого моря в том месте, где близки высокие темно-коричневые острые горы, в некоторых местах срезанные почти под прямым углом, мне кажется, что я нахожусь на другой планете. Вернее, это место похоже на более или менее земной оазис, расположившийся на какой-то чужой планете, где больше ничего, кроме темных гор, и нет. Море находится в середине сухой, выжженной солнцем земли. Вокруг него берега из соли, какие-то фигуры, взлетевшие и окаменевшие соляные волны. Все здесь светло-голубое и белое. Вода вдалеке тоже светлая, а не синяя, как в Средиземном море. Граница с Иорданией проходит по воде, которую не очень-то просто можно назвать водой, поскольку не дай бог войти в нее с царапиной или ссадиной — будет больно из-за жуткой концентрации соли: примерно 300 грамм на один литр воды. Из космоса это море, находящееся в Иорданской впадине, выглядит как черная дыра. Оно ниже уровня моря на 400 метров (если точно, то этот уровень колеблется, в разные годы измерения показывали от 392 до 412 метров). Однако по солености оно занимает не первое, а лишь второе место в мире — после озера Ван, находящегося на территории Турции.

Не удивительно, что не нашлось той сумасшедшей рыбы или водоросли, которая согласилась бы жить в Мертвом море. Правда, лет двадцать назад много писали о том, что в нем обнаружили какую-то архибактерию, на основании этого факта несколько косметических компаний развернули активную деятельность. Я уж не знаю, что за бактерии и минералы они добавляют в свои кремы, но качество действительно прекрасное. Минералов в этой воде, конечно, полно.

Существует проект опреснения воды Мертвого моря, но пока это только проект, и я не слышала, чтобы уже начались какие-то конкретные работы по его реализации. Река Иордан, вытекающая из озера Кинерет, впадает в Мертвое море и снабжает его пресной водой. Считается, что море высыхает и когда-то может окончательно испариться, но в природе все продумано, и Иордан, узкая быстрая речка с ледяной водой, все-таки пополняет море. Кроме того, здесь есть плотина, построенная в 30-е годы XX века. Ее открывают изредка в дождливые зимы, чтобы дожди не затопили поселения. Плотина называется «Дгания». Она снабжает Мертвое море водой из озера Кинерет, но уже после плотины «Соленый акведук».

Считается, что Мертвое море на один метр отступает, высыхая, каждый год. До постройки плотины пресная вода из Кинерета текла напрямую в Мертвое море, поскольку все было продумано природой, но человек любит встревать туда, куда не нужно, поэтому теперь ученые и инженеры придумывают способ, который поможет морю не высыхать. И, уверена, они его найдут. Есть еще идея соединить Красное море и Мертвое трубой или прорыть канал между ними.

В Израиле нужно пить воду все время, не меньше семи стаканов в день. Это закон. Жаркий климат в течение дня может незаметно так высушить человека, что степень обезвоживания зашкалит и можно, не при нас будь сказано, как говорят в Израиле, реально откинуть тапочки. На эту тему уже давно не спорят, хотя один молодой доктор доказывал мне: «Организм не дурак, если он не хочет пить — значит, не надо, а захочет — просигналит. Питье в

Израиле — понятие экономическое, им просто нужно больше напитков продать». Нет, такое можно говорить только по неопытности и незнанию. Очень быстро становится понятно, что, если не пить воду, можно запросто повторить судьбу двух французских исследователей Мертвого моря, которые попытались проплыть по течению Иордана начиная от озера Кинерет до того места, где река впадает в Мертвое море. Судьба их сложилась трагически, они погибли. Именами этих исследователей назвали часть суши около моря. Их звали Кристофер Костиган и Томас Мулина. Израильская жара — это что-то совсем другое, резко отличающееся от жарких летних дней в Москве или Париже. Не забывайте пить воду в Израиле хоть из бутылок, хоть из крана, а можно и охлажденную из чайника.

На Мертвое море приезжают полечить кожные заболевания, дыхательную систему, суставы и кости. Для этого мажутся уникальной серо-черной грязью, которая не имеет аналогов в мире и содержит примерно 20 различных минералов, а потом, счастливые, зависают в Мертвом море, которое заботливо держит каждого на своей плотной поверхности.

Мертвое море лежит в долине Иордана, которая образовалась, когда в стародавние времена произошел раскол двух материков — Евразии и Африки. Тогда и возникла эта глубочайшая в мире впадина. В девяностые годы в газетах проскочила информация, что будто бы не исключено, что в этом районе может произойти землетрясение, в результате которого Израиль отколется от остального континента и превратится в остров. Получился бы такой остров Крым, то есть, извините, остров Израиль, — то-то рады были бы все, и бесконечно тянущийся «мирный процесс» решился бы сам собой.

Кибуц Эйн-Геди

Еще сидя дома у компьютера, я заказала номер в гостинице кибуца Эйн-Геди на Мертвом море, что было проще простого. Я, конечно, позвонила, все уточнила про вид из окна и все остальное, потому что мне всегда легче пообщаться с человеком, чем с компьютером. Я много раз была на Мертвом море еще в той моей израильской жизни, но оказалось, что некоторые детали напрочь забыла. Вот я и сняла босоножки и босиком пошла к морю, когда до него оставалось вроде не так много пройти от здания, где переодеваются туристы и где продаются сувениры, разные кремы с чем-то из Мертвого моря, в котором, по правде сказать, ничего нет, кроме соли, и не живет никто, кроме какой-то бактерии. Пошла бодренько, забыв, что весь берег усеян острыми кристалликами застывшей соли. В результате были в крови не только ноги, но и руки, потому что я пару раз чуть не упала от боли, наступив на эти соленые ножи. Потом мы по традициии намазались черной грязью и, полностью оздоровившись в радоновом бассейне, поехали в кибуц Эйн-Геди, вернее, в гостиницу при кибуце. В Израиле у меня есть квартира, купленная еще в 1994 году, но она далеко на севере, а сейчас мы путешествуем, и хотя друзья и родственники живут по всему Израилю, в районе Мертвого моря у меня никого пст, и, как ни странно, в Тель-Авиве тоже. Поскольку Тель-Авив был нашим следующим городом по плану, составленному еще до начала путешествия, в тот вечер я собиралась заказать номер в гостинице, обязательно с видом на Средиземное море и обязательно на улице Аяркон.

Приехали в Эйн-Геди. С виду кибуц как кибуц, но сразу почувствовалось в нем что-то необычное. Ну да, конечно, растения в цвету, самые странные, красивые до изумления, особенно те, что на кактусах расцветают. Точно, мне же говорили, что здесь есть ботанический сад! Первая весенняя жара шарахнула на следующее утро. В помещениях всегда и везде кондиционеры, а на улице... ну так и не гуляйте в три часа дня. Хотя где и когда мы еще увидим такие удивительные деревья и кусты бело-розовые и фиолетовые, инопланетные формы стволов деревьев, причудливо изогнутые от природы, сочные зеленые листья, невообразимые цветы, похожие на орхидеи, потрясающие своим видом, как будто несущие какое-то послание.

Уникальный ботанический сад Эйн-Геди любят посещать горные козлы или олени, я не знаю точного названия этих диких животных, которые здесь скачут по горам, величественно поворачивая головы с длинными необыкновенными рогами, при этом сами животные небольшие, размером с овечку. Они приходят и уходят когда захотят, не будучи постоянными жителями ботанического сада и небольшого зоопарка при нем. Приходят, чтобы попить воды из красивого водопада, который зовут здесь источником, с тем же названием, что и кибуц. В зоопарке есть бабуины, скальные зайцы, лисички и множество птиц.

Кибуц Эйн-Геди — это оазис, зеленый райский сад в пустыне. Он расположен на берегу Мертвого моря, как мы уже знаем — самого низкого места на Земле, у подножия величественных гор, в тени странных деревьев ботанического сада. Пожалуй, это одно из интереснейших мест в Израиле. Эйн-Геди сочетает в себе дикое, природное окружение с первобытной панорамой, истории и археологические истории и чудеса, туристические достопримечательности. Плюс ко всему это еще и курорт. Его замечательный микроклимат и атмосфера дарят человеку уникальнейшее приключение, которое может произойти с ним в пустыне.

Израиль — это очень специфическое место: где ни копнешь, можешь такое откопать... Впрочем, я вам еще расскажу о строительстве метро в Кармиеле, когда мы туда приедем. Израиль — это такое место, где не поймешь, о чем идет речь: это история или легенда, религия или сказка... Каждый ребенок знает: здесь жил царь Давид в такие-то годы, сделал то-то и то-то, а здесь жил его сын царь Соломон, который «Песнь песней» написал, эротическую поэму. Постойте, это исторический или библейский персонаж? А библейский персонаж... это взаправду или как? Вот-вот, каждому по вере его, тут-то вера каждого и проявляется. А персонаж и библейский, и исторический — вот годы жизни, все переплетено, но все в Израиле знают свою историю. Да, царь Давид, как же без него, какие там легенды? Это совершенно нормальный, реальный, живший в давние времена человек: жил, царствовал, побеждал силой и умом, жену Батшеву у другого увел... С ним как раз связаны и эти места.

Эйн-Геди еще и исторический и археологический памятник. Первый человек, который открыл магию этого места более чем 5000 лет назад, и был Давид, не просто персонаж в истории еврейского народа, а один из самых главных действующих лиц. Давид укрывался в Эйн-Геди, когда у него были проблемы с царем Саулом и мятежниками, которые бежали сюда из Иерусалима. Вот вы ходите по теплой траве Эйн-Геди и понимаете, что здесь сидел на камне царь Давид, и нервничал, и видел почти тот же пейзаж, что и вы сейчас видите, и мысли о вас сегодняшнем приходили ему в голову. И был вечер... Как вам оно? Какие ощущения и мысли возникают, когда солнце в малиновой дымке медленно опускается и скрывается в горах, скользя последними лучами по застывшим солевым волнам Мертвого моря и фигуре оглянувшейся жены Лота?

Эйн-Геди известен во всем мире как спа-центр высокого уровня. Туристы из разных стран приезжают сюда, чтобы воспользоваться горячими источниками, минеральными водами и грязевыми ваннами, а также почувствовать климат пустыни, искупаться в целебных водах Мертвого моря и подышать здоровым чистым воздухом. Ценные масла хурмы и редкие духи в стародавние времена производились в этих краях.

Вокруг Эйн-Геди природные заповедники, реки, текущие через глубокие каньоны в окружении пышной растительности, все это удивляет — такой резкий контраст с окружающей пустыней. Если повезет, здесь можно увидеть не только горных козлов, но и других животных, которые приходят к реке, чтобы напиться. Нам удача не улыбнулась: мы видели только скального зайца, толстого и пушистого, который сиганул с трехметровой скалы прямо у нас перед носом. Ботанический сад кибуца засажен растениями и деревьями, привезенными со всего мира, не только израильскими. Если вы идете среди домиков в вечернее время, когда не жарко и можно спокойно гулять, вы можете полюбоваться цветением кактусов и баобабов, здесь полно и других уникальных растений. Можно ночевать в гостинице кибуца, а это маленькие домики, каждый из которых — отдельный номер, а можно и под открытым небом на берегу Мертвого моря.

Другие рекомендуемые мною экзотические мероприятия — это экскурсии на джипах по сафари и пустыне, туры на Массаду и к Кумранским пещерам. Вы, конечно, помните, что это те самые пещеры, где были найдены Свитки Мертвого моря, которые хорошо бы почитать и узнать, как все было в подробностях и что нас всех ждет, но их засекретил Ватикан. Ну засекретил — и ладно: много будем знать — скоро состаримся.

На следующий день уже по дороге в Тель-Авив мы остановились у знакомой, которая занимается разведением черных ирисов. Они не то чтобы совсем черные, но почти, темно-темно-бордовые и фиолетовые, на длиных стеблях, переливающиеся на солнце бархатными красками.

Домики гостиничного комплекса Эйн-Геди были обычные, простые и чистые, с кондиционерами и приготовленным на столе кофе, а также прекрасным чаем фирмы «Высоцкий», но все-таки главное, что там есть, — это ботанический сад! Да, и еще в кибуце прекрасная столовая!

Коттеджная погибель

Утром, придя в небольшую столовую, похожую на такие же кибуцные столовые по всему Израилю, я поняла: вот она, моя коттеджная погибель! «Коттедж» — это название мягкого, крупицами, творога в баночках, обычно пяти- и девятипроцентной жирности, бывает и более низкой, даже нулевой, но это менее вкусно. В Америке и Канаде девятипроцентных молочных продуктов я не видела никогда, а между тем люди ходят толстые и шкафоподобные. Почему? Там ведь очень много молочных продуктов вообще нулевой жирности. Может быть, потому, что во всех этих обезжиренных йогуртах много кукурузного крахмала? Действительно, надо же как-то сделать эти жидкие йогурты красивыми и густыми, чтобы ложка стояла. Может быть, потому, что американцы едят много макарон, бутербродов, картошки и пончиков? На Американском континенте пицца всех сортов — очень популярная еда... Все это едят и в Израиле, но постольку-поскольку. Помню, как я все стеснялась поесть на улице шаварму. Она часто продается в маленьких кафе, где прямо на улице на прилавке стоят в больших салатницах всевозможные нарезанные овощи и салаты. Также выставлены соусы. Тебе обжаривают мясо, кладут в питу и выдают. Дальше можешь хоть полдня откусывать и добавлять в питу новый салат. Мне всегда казалось, что это какая-то мужская забава, пока не попробовала.

А сколько в Израиле разных мелко нарезанных, вернее, как будто вилкой размятых салатов из авокадо, тунца! Только баклажанных салатов, размятых или мелко нарезанных, я знаю шесть вариантов. В столовой кибуца Эйн-Геди кормят на самом деле как и в большинстве хороших гостиниц Израиля. Шведский стол, выбирай что хочешь, множество салатов и просто порезанных овощей, из которых каждый сам может сотворить себе салат, около девяти горячих блюд, приготовленных в расчете на мясоедов и вегетарианцев. На столах стоят чайнички и большой ассортимент прекрасного чая «Высоцкий», который вы сами себе и завариваете, набрав на отдельном столе пирожных и других сладостей. Утром к завтраку на столах представлено много разных молочных продуктов, о которых речь шла раньше и которые очень хороши и свежи. Если бы Запад попробовал израильские йогурты, «коттеджи», сметану и сыры... о каких гамбургерах могла бы идти речь? Забыли бы все про них. Как я мучительно худела перед путешествием, сбросила пятнадцать килограммов, чтобы красоваться на пляже в новом купальнике!.. Ну и ладно. В Израиле невозможно отказать себе в молочных продуктах, да и вообще еда очень вкусная.

Номер за полцены

В полдень было уже по-настоящему жарко. Мы провели еще несколько часов на берегу Мертвого моря, приспособившись полусидя-полулежа висеть в его похожей на зверски соленое масло воде. Сколько раз я бывала на Мертвом море? Множество, но почему-то всегда основным впечатлением была его целебная черная грязь, которой люди вдохновенно мажутся. Каждый раз я покупаю там кремы и лосьоны, которыми пользуюсь потом целый год, для лица, для рук и ног, и никакие дорогущие французские «мазилки», упакованые в изящные баночки, а затем коробочки, по производимому эффекту не сравнятся с десятишекелевыми кремами, которые делают здесь, на Мертвом море. Намажешься, и сразу тянет вылететь в окно лунной ночью, подобно булгаковской Маргарите, и летать под пение сверчков до рассвета, до прохладного короткого утра, когда начинают петь птицы и первые лучи падают на эти бело-голубые инопланетные горы соли вокруг моря, и само светлое море, и тот столбик соли, в который превратилась жена Лота, оглянувшись на свой город, когда срочно покидала его со всей семьей. Предупреждал же Господь: «Не оглядывайся! Нельзя!» И как начнешь думать об этом: и как все зыбко, и как все взаимосвязано, и как быстро здесь, на этой земле, находишь ответ на свой вопрос, и как молниеносно получаешь ответный удар за неправильный поступок... Странная земля Израиль. Святая земля.

На лавочке в кибуцном ботаническом саду сидел парень с гитарой и сочинял песнь именно об этом, о судьбе, ее знаках, предопределенности его встречи с любимой... Мы посидели с ним, подивились странному содержанию его песни, а он с радостью исполнил для нас несколько других своих песен с красивыми мелодиями и интересным текстом. Я забыла, к сожалению, как его звали, может быть, он уже успел стать знаменитостью за те два года, что прошли после нашего путешествия.

В фойе гостиницы к нам подошел сипатичный израильтянин, долго расспрашивал, как нам Эйн-Геди, мы восторгались морем, хвалили наш домик и кухню их ресторанчика. Это был один из менеджеров или начальник смены. Он предложил: «Оставайтесь еще на несколько дней, я вам дам домик с самым красивым видом». Мы сказали, что у нас все распланировано, весь Израиль надо проехать за месяц, да и дороговато. Он вдруг воскликнул: «Оставайтесь, будет недорого, номер за полцены!»

Скидки — дело привычное, но полцены — это круто. Мы бы, конечно, остались, если бы не ждали нас родственники и друзья в Иерусалиме.

5. Центр страны

Иерусалим

Небо не просто голубое... синее, насыщенного синего цвета, без единого облака, пронизанное электричеством. Пьянеешь от этого неба и воздуха. Въезжаем в Иерусалим. Первый раз я побывала здесь сразу после приезда в Израиль. Потом приезжала регулярно раз в два-три года вроде как по делам, но на самом деле — подышать Иерусалимом.

Островками лежит на холмах Иерусалим. Смотреть на него интересно. Особенно ночью хорошо, когда воздух свежий, а здесь всегда вечером прохладно, и весь город — это россыпи мерцающих огней на горках и холмах, а в низинах — темные овраги и поля. Величественный, но не без своих особенностей. Взять хотя бы солнечные бойлеры на крышах. Эта система уже много лет применяется в Израиле. Крыши с черными бойлерами-баками — арабские, с белыми — еврейские.

Здесь живет наш друг, замечательный доктор, биохимик и преподаватель йоги Владимир Борисович Писарев, который году в 1988-м в Москве произвел на нас такое впечатление, что мы всей семьей собрались в Израиль. Он тогда поразил легким отношением к жизни и своей энергией.

— Представляете, я купил себе подержанный «жук», так его ребята соседские угнали, разобрали на пустыре, а потом собрать еле смогли! – рассказывал он, весело смеясь.

Тогда, двадцать лет назад, перед первой поездкой в Иерусалим, Владимир Борисович сказал: «А приезжайте к нам в йом-шиши (пятницу)!» — «Ух ты, — подумала я, — Йом-шиши, наверное, пригород какой-то... как же я найду?» Живет он в районе Иерусалима под названием Гило.

Писарев и сейчас поражает спортивностью, неожиданной для человека 1939 года рождения. Есть счастливцы, которые здесь живут, наслаждаются постоянно этим воздухом, ходят по этим улицам. Иерусалим... Воздух пропитан историей. Земля уходит корнями вглубь тысячелетий. Полное ощущение связи с цивилизациями, которые существовали давным-давно. Человеку чувствительному и внутренне богатому здесь нечего больше объяснять.

Впервые я была в Иерусалиме одна и, что удивительно, несмотря на сильнейший топографический кретинизм, сразу начала здесь ориентироваться. С тех пор Старый город Иерусалима стал моим любимейшим местом, которое успокаивает, укрепляет веру и вселяет уверенность в том, что ни один волос не упадет с головы «без личной санкции Творца». А еще наполняет радостью и неправильным чувством — гордостью, что я здесь живу, вернее, мне посчастливилось быть избранной, и жить в этой стране, и иметь возможность в любой день приезжать сюда, к святыням, просто на автобусе и получать этот заряд.

Старый город — это центр Иерусалима, он окружен стеной и разделен на четыре квартала: еврейский, христианский, мусульманский и армянский. Через разные ворота можно войти в определеннный квартал. Для каждой религии здесь есть своя святыня, притом такая святыня, что дальше и выше уже некуда, выше — только бог. Для христиан это Храм Гроба Господня и улица Виа Долороза, по которой вели Христа на казнь. Для евреев, конечно, — Стена

Плача, на иврите «хаКотель хаМаарави» — Западная Стена (так будет правильнее), где молятся и оставляют в щелях стены записочки богу... И я оставляла. Писала на всякий случай на иврите.

Около площади Стены Плача есть одно небольшое здание, и если идешь по местным улицам с горки на горку, с лестницы на лестницу, попадаешь непонятным образом сразу на его крышу. Это иудейская святыня. Если, стоя на этой крыше, загадать желание — оно сбудется. Я однажды загадала, стоя там, родить ребенка и родила в тот же год. Евреи покажут эту крышу, если вы зададитесь целью на ней постоять. Когда моя двоюродная сестра в Москве выходила замуж за православного священника и собиралась стать матушкой, я приехала сюда, купила два перламутровых крестика ей и ее жениху и освятила их, просто положив ненадолго в Храме Гроба Господня — люди показали куда. Живут они счастливо, слава богу, четверо детей у матушки Ирины. Может быть, мои крестики и сыграли в этом какую-то роль.

Храмовая гора — святое место для Израиля, которое посещают миллионы верующих. Массивные камни у основания Стены Плача идеально подогнаны и скреплены без раствора, которого тогда и не было, наверное, а те камни, что выше, намного меньше и не такие ровные.

Видно, что в другое время сделана верхняя часть Стены, которая является остатком Святого Храма. Здесь возносятся молитвы и записки, содержащие сердечные пожелания, вклиниваются между камней.

Около Западной Стены есть еще одно интереснейшее место — это мегалитической кладки тоннель Храмовой горы, открытый для посещений в 2008 году. Мегалиты — громадные непонятного происхождения и возраста камни, которые весят до 600 тонн. Как они подогнаны так точно, кем, какой цивилизации принадлежало все это — непонятно.

Есть и другие важные для посещения святыни: уникальный Davidson-центр, еврейский квартал с его великолепными Кардо и Цитаделью Давида, гордо возвышающейся и очень красивой. Маленькая старая синагога внутри — вся из вишневого бархата, со старинными книгами. Я однажды случайно наткнулась на нее: двери открыты настежь, но никого нет. И только маленькая женщина в платке сосредоточенно молится. Все так... все так, как говорил мой знакомый религиозный еврей и преподаватель английского Бэрри: «Каждый еврей общается с богом напрямую». Надо пожить в Израиле, чтобы до конца это понять. Это чтобы понять разумом, а чтобы прочувствовать душой и сердцем, нужно войти в тоннель Храмовой горы.

Впечатление и потрясение настолько сильны, что я могу вам лишь посоветовать сходить туда, особенно тем, кто живет в Израиле и считает его своей страной.

К югу от Старого города стоит город Давидов, в котором селились древние израильтяне, жители Иерусалима. Это очень занятное место, где при хорошем воображении можно увидеть и сценки из прошлых веков, и фигуры людей, будто пришедших из тех времен, только переодевшихся в современные наряды. Побродить там — увлекательное приключение и незабываемый опыт.

В христианском квартале находится около 40 важных сооружений (церквей, храмов, монастырей и общежитий паломников). Одно из самых известных, значимых и почитаемых мест в христианском квартале — Виа Долороза, «Путь скорби», последний путь Иисуса, который согласно христианскому учению вел от здания суда к Голгофе, где Иисус был распят и похоронен. Многие паломники приезжают в Иерусалим, чтобы следовать по его стопам и пройти по тому самому маршруту, который начинается в мусульманском квартале, проходит 14 остановок и заканчивается в Храме Гроба Господня. Некоторые из самых важных христианских реликвий размещены в этой церкви, в том числе камень помазания (на котором тело Иисуса лежало до его погребения). Храм Гроба Господня является местом паломничества для миллионов христиан, и православных, и католиков, и протестантов со всего мира.

К юго-западу от Старого города возвышается гора Сион. Успенский монастырь, находящийся здесь, был построен в христианских традициях, и христиане верят, что Мария провела здесь свои последние ночи. Аббатство было построено около 100 лет назад, и в подвале находится статуя спящей Марии. Рядом с аббатством находится Горница Тайной Вечери, где Иисус провел с усниками последний вечер, а неподалеку стоят старые оливы, некоторые из них видели все, что происходило в те далекие времена, потому что возраст их около двух тысяч лет.

К востоку от Старого города находится Масличная гора, а там и другие важные христианские святыни: несколько церквей, Гефсиманский сад, монастырь Авраама.

Кроме святынь на всей территории Старого города есть несколько очаровательных мест, которые стоит посетить. Есть, например, замечательный рынок, который излучает всем своим видом нескончаемый праздник. Здесь вы можете купить армянскую керамику, красивые бусы, вручную сшитые одежды, вышитые подушки, красочные шерстяные ковры, свечи, удивительные изделия из стекла и множество различных сувениров. Можно взять тур вдоль стен Старого города и посмотреть на Старый и Новый город. Тур вдоль стены очень интересен в ночное время, когда огни города сверкают и делают достопримечательности еще более незабываемыми. Армянский квартал имеет свой неповторимый шарм, и его тоже стоит посетить. Однажды я бесцельно бродила по разным лесенкам Старого города, заходила в разные двери, и вдруг попала в какую-то величественную большую комнату, где стояло кресло, похожее на трон, что-то еще необыкновенное, и кругом было много красивых вышитых подушек и ярких ковров. Я почувствовала, что вторглась в чьи-то частные владения и остановилась. Откуда-то появилась женщина и испуганно сказала, что сюда нельзя и лучше мне уйти, потому что в это место обычно заходит только один человек — Католикос всея армян. Я и сама хотела уйти, но теперь сделала это извинившись несколько раз — с перепугу и из уважения.

В Старом городе такое сильное ощущение Востока, типичный пестрый Восток с гортанными языками, смесью костюмов и религий... Вавилон. Чувствуешь себя настолько свободно и легко, потому что идут евреи, арабы, русский парень — совершенно русский, голубоглазый блондин типа Есенина — играет в одной из арок на аккордеоне, но как! Тут же христианские паломники и священники, счастливые оттого, что припадут сейчас к Гробу Господню, любознательные американцы в шортах, пожилые европейцы, собиравшие, может быть, всю жизнь деньги, чтобы сюда приехать. Транспорта, надоевшего и опостылевшего, здесь нет. Все уважительны. С разных сторон доносится то арабский язык, то английский, то иврит. Камни говорят с тобой на языке исчезнувших культур и народов. Предположительно культурный слой в Иерусалиме в районе Стены Плача — 60 метров. Смотришь в стеклянные квадратные окна с подсветкой в полу и уходишь вниз на тысячелетия, а конца-то нет.

Писарев пошел с нами, он изучил Иерусалим вдоль и поперек, правда, его скорость я всегда с трудом выдерживаю. Зато он знает наизусть множество историй и легенд и про все может рассказать, пока у него есть два часа до концерта симфонической музыки, на который он сегодня пойдет, оставив нас в Старом городе обалдевать от восторга дальше. Вот и Западная Стена. Разные люди подходят к ней. Религиозные молятся. Гигантские камни — мегалиты, один из них — пятый в мире по величине. Они обработаны с такой точностью, которая сегодня невозможна, несмотря на высокие технологии нашей технократической цивилизации. Может быть, они старше египетских пирамид, может, моложе. Какая уже теперь разница? По официальной версии, тоннель был построен в эпоху царя Ирода. Я думаю, что Ирод сам бы посмеялся над мыслью, что он эти камни обтачивал и укладывал. Тоннель уходит под землю от открытой части Храмовой горы, хотя сначала это был вовсе не тоннель, а улица — как раз времен царя Ирода, потом культурный слой нарастал. Со Средневековья нарастали и нарастали дома над руинами древнего города. И получился тоннель... Только вот в глубину он уходит и уходит, и конца этому нет, а все лежат ровненько гигантские каменные блоки, «мегалиты», а вот то, что над ними, действительно похоже на строительство под руководством Ирода. Археологи и экскурсоводы, однако, продолжают рассказывать — видимо, чтобы самим не задумываться и не нервничать: «Часть Стены здесь построили под руководством царя Ирода Великого в первом веке до нашей эры». Я не археолог, но, по-моему, это смешно.

Мы прошлись по магазинам на улице Давида. Купили подарки: христианам — христианские, евреям — еврейские, неверующим — украшения, одной подруге, исповедующей суфизм, — восточный платок с пришитыми со всех сторон золотистыми монетками. Кто его знает — может, суфии это носят. Писарев ушел на концерт, а мы отправились искать свою раскаленную машину, которую оставили где-то на парковке возле входа в Старый город, и быстро нашли ее, что удивительно.

Заблудились, поехали куда-то наверх. В Иерусалиме все переплетено, одна улица переходит в другую. Надписи на иврите сменяются надписями на английском и иврите, потом то на иврите, то на английском и арабском, затем пропадает иврит, следом за ним английский. Со всех сторон одна арабская вязь. Высовываюсь в окно, спрашиваю по-английски, как отсюда выбраться. Мне спокойно объясняют, но мы все равно путаемся, петляем, спрашиваем еще человек пять, ездим по горбатым улочкам вверх-вниз и наконец выезжаем на обычную иерусалимскую улицу. Здесь мы вспоминаем, что сейчас пятница, вечер, вот-вот закроются все автозаправки, а у нас мигает лампочка, показывая, что топливо на нуле. Весь бензин на арабской горе истратили.

Чудом нашли открытую заправку и приехали к друзьям, которые нас заждались. Радость, поцелуи, хацилим всех сортов (салаты из баклажанов), хумус, салат оливье, авокадо, питы, виноград, торт, вино. Выходим на балкон восьмого этажа и видим обрыв, поросший зеленой травой, прямо рядом с домом, чуть ли не впритык к нему. Самая настоящая пропасть, и в этой пропасти различимы какие-то древние

95

куски светло-бежевых стен, осколки ступенек, полевые цветы и трава, и по этой траве весело бегает мальчик, выгуливая на длинном поводке... овечку. Посередь города.

В этот апрельский день нас еще и хамсин накрыл прямо в Старом городе. Горяч был ветер с пустыни, обжигал, но мы восторженно бегали среди светло-бежевых стен и не сильно его замечали, только бутылки с водой быстро опустошались. Подошли к мужичку, который продавал с лотка напитки в маленьких бутылках. Я попросила воду. Он сказал, что мне вода не нужна, а нужно вот это, и протянул что-то светло-зеленое в бутылке. Говорю:

— Да ну, дай мне просто воду!

— Нет, геверет (госпожа), бери это! Ты мне спасибо скажешь!

— Ладно. Спасибо. Беру.

— Сейчас ты мне спасибо не говори. Скажешь, когда попробуешь! Пробуй!

— У меня еще вода есть...

— Пробуй!

— Мне неудобно с двумя открытыми бутылками!

— Пробуй!

Открываю и выпиваю все. Ледяной кисло-сладкий сок с мякотью лимона и еще какого-то фрукта. Вкусно немыслимо.

— Тода раба, адони! (Большое спасибо, господин мой!)

На следующий день нас опять потянуло в центр. Вошли через Яффские ворота. Магазины, кафе, чисто, красиво, тихо, спокойно, все те же светло-бежевые стены, узкие улочки, очень старые дома, сувенирные магазины, живопись, ювелирные украшения. Людей на улице очень мало, в основном англоговорящие туристы. Вдруг идущая по улице старушенция останавливается, поднимает голову и, глядя в окно где-то на уровне третьего этажа, кричит на иврите во все горло: «Дора!!! Я забыла выключить картошку! Посмотри на плите! Дора! Быстро!» Сверху слышатся какие-то звуки, бабуля идет дальше. Что это было? Здесь, в центре Старого города, живут люди? Здесь, где все выглядит как театральные декорации, они спят? Варят картошку? Может, бабушка миллиардер? Я перестаю вообще что-либо понимать.

Гуляя, мы опять вышли на узкие коридоры арабского базара. Столько раз я здесь бывала — а ориентируюсь все равно плохо. Впрочем, я нигде не ориентируюсь.

Папа, купи это маме

Мы никак не могли сообразить на следующий день, как пройти самостоятельно на территорию Стены Плача и осмотреть, уже неспеша и подробно, тоннель Храмовой горы, в котором тысячелетия видны как на ладони. Это мегалитная кладка, то есть сделанная из точно подогнаных, обточенных и сложенных непонятно кем и когда многотонных неподъемных камней. Смотрим по сторонам, видим: идет православный священник в черной рясе с полненькой девушкой. Мы попросили: «Батюшка, вы нам не объясните, как коротким путем пройти...» Он говорит: «Мы вас проводим, мы как раз в том направлении идем». И батюшка нас проводил. Мы быстро пошли все вчетвером.

Девушка, когда мы к ней присмотрелись, оказалась красавицей лет пятнадцати. Она все время замедляла шаг около арабских магазинчиков и говорила: «Папа, купи это маме». «Ступай, ступай, не останавливайся...» — говорил батюшка, тихо подталкивая ее вперед, когда она застревала около магазинчиков. Пока шли, поговорили с ним о местных ценах, что и где лучше покупать, узнали, что приехали они на две недели и осталось у них всего пять дней, а уезжать со святой земли так не хочется. Поговорили про две популярные русские церкви — Красную и Белую, про Русское подворье и комнаты для паломников, где они остановились, и о том, какая там трапезная, где всех приехавших вкусно кормят. Вывели они нас куда надо и пошли дальше своей дорогой. Спасибо батюшке с дочкой.

Мы вскоре вошли в тоннель на площади у Стены Плача. Тот самый, из мегалитической кладки. Я не смогу рассказать вам, что я там почувствовала и поняла, потому что нет, к сожалению, ни в одном из трех языков, которыми я владею, таких слов. К тому же и настраивать вас не хочу — у каждого свое восприятие. Лучше съездите в Иерусалим. Я повторяюсь умышленно, как истинный педагог, вкладывающий что-то ученикам в голову намертво. Я очень хочу, чтобы вы это запомнили и последовали моему совету.

Что-то все же еще недосказано о самом святом городе мира, вечном городе, построенном, может быть, четыре, а может быть, и семь тысяч лет назад (это данные последних раскопок), история которого слышится в шуме ветра, голосах людей, говорящих на разных языках, чувствуется в прикосновении к его горячим стенам, где каждый камень говорит о чуде и о том, как мало мы знаем, о городе, который привлекает миллионы верующих паломников в течение многих веков. Таков золотой Иерусалим, столица Израиля, единственный город, который на старых картах изображали в центре мира и в котором как нигде чувствуешь присутствие Бога, направляющую и поддерживающую высшую силу и любовь.

Иерусалим — это неясное обещание религиозного и духовного опыта, но не только, этот город дарит интересные экскурсии, открытия и увлекательные приключения. Здесь есть современные туристические достопримечательности для всех любителей культуры, искусства, театра и музыки, архитектуры и хороших ресторанов.

Большой маленький мир Иерусалима жил своей жизнью, где на древнем камне стоял ноутбук, за которым сидел парень и что-то изучал, где у двери своего магазина стоял и улыбался старик в кипе, где с хитрым выражением лица арабский парень предлагал провести нас к Храмовой горе кратчайшим путем и гнал по каким-то бесконечным лестницам, заявив потом, что двадцать шекелей за такую услугу мало, и сорок мало.

Я не буду писать о достопримечательностях Иерусалима. Эта книга все-таки не туристический гид. Кто хочет, сам найдет за три минуты в Интернете и про мельницу Монтефьори, и про Масличную гору, и про Русское подворье, и про Центральную синагогу, и про Церковь Агонии, и про Голгофу. Здесь через каждые два метра достопримечательность, святыня, реликвия, мегалит...

В арке недалеко от Западной Стены стояли военные: два молодых человека и девушка красоты неописуемой... Суламифь, одним словом. Мы попросили на иврите солдатика сфотографировать нас с ней. Солдат тоже был красивым и загорелым, хорошо бы было и его в наш снимок пристроить. Он вдруг говорит по-русски: «Давайте я здесь встану, а вы садитесь на стул». И тут действительно неизвестно откуда появился стул. Я говорю: «А кто нас всех щелкнет?» Здесь второй солдат, русоволосый и кареглазый, отвечает по-русски: «Давайте я щелкну». Только яркая брюнетка Суламифь с горячими миндалевидными глазами вежливо улыбалась, явно не понимая нашу русскую речь.

Тель-Авив

Выезжаем в славный морской город Тель-Авив рано утром, хотя весь путь из Иерусалима сюда — это минут сорок. Находим улицу Аяркон (впрочем, что ее искать, если она длинной полосой вытянулась вдоль берега?) и нашу небольшую гостиницу с видом на море и балкончиками. Оставляем вещи и идем на шук Кармель. «Шук», кто не знает, — это в переводе с иврита «рынок, базар». Там самые свежие овощи, ароматная клубника, горячие лепешки с сыром и специями (никак не могу запомнить их название), и еще там душевно и там орут... орут громко и впечатляюще. Это надо слышать и видеть. Шук Кармель — это не просто восточный базар, это нормальный цивилизованный израильский рынок.

Мой отец рассказывал, что во время войны с Саддамом Хусейном один отчаянный продавец хлебобулочных изделий вопил, призывая народ покупать у него питы (полые лепешки, куда можно положить овощи, сыр, колбасу, хумус и т. п., в зависимости от национальных вкусовых предпочтений): «Саддам мэт (умер), горячие питы! Саддам мэт!!!», чтобы совершенно оглушить людей и втюхать свой товар. «Неужели правда умер?» — спрашивали его, покупая хлеб. Продавец ничего не отвечал и деловито продолжал выкрикивать свой слоган. Саддам же после этого прожил еще больше двадцати лет.

В этот раз мы купили три коробочки с ягодами и фруктами и пошли на улицу Алленби, где работал мой дорогой и уважаемый адвокат Рувен Бейлис, интереснейший человек, прошедший всю войну как переводчик с немецкого на русский и обратно и только после войны, оказавшись в Израиле, ставший адвокатом. Я много лет приезжала к нему заверять свои переводы, и он их спокойно проверял и заверял, поскольку не только владел немецким языком так, что немцы его за своего принимали, но и в совершенстве знал английский, иврит, румынский и русский, само собой. Сколько удивительных знакомств подарил мне Израиль!

Улица Алленби — это сплошные магазины и витрины. Золото сменяется картинами, кофточки в витрине идут за книгами, а потом опять золото. Есть здесь и разные конторы. Офисы адвокатов, агентства по продаже авиабилетов, мастерские часовщиков. В магазины я (от греха подальше) больше заглядывать не стала. Мы поели в ресторане прямо на пляже, долго не могли уйти, любовались на оранжевый закат. Утром вдоль берега бежали люди в спортивных штанах и футболках, некоторые были очень загорелые, чувствуется, что бегают, вдыхая морской воздух, круглый год. Вечером мы опять встретили бегущих людей. Улыбаются, понимают, что это и есть счастье — позволить себе жить на берегу моря и заниматься тем, что нравится, ведь жизнь коротка, как эта пробежка вдоль пляжа.

Баухаус — прекрасная школа живописи, архитектуры и дизайна в Австрии, созданная, чтобы отразить единение искусства и функциональности в Европе после Первой мировой войны. Преемником традиций этой школы и следующим этапом в развитии архитектурного творчества XX века стал русский конструктивизм. Для Тель-Авива этот стиль оказался идеальным. Белый город — это название, данное Тель-Авиву из-за большого числа белых или окрашенных в светлые тона зданий, построенных между 1920 и 1950 годами в интернациональном стиле Баухаус. Это настолько интересно, что я хочу рассказать вам об этом поподробнее.

Свыше четырех тысяч различного назначения строений, выполненых в этом стиле, представляют собой уникальное зрелище. Интереснейший архитектурный ансамбль находится в центре Тель-Авива. Здесь самая большая коллекция таких строений в мире, это стало причиной того, что в 2003 году ЮНЕСКО провозгласила Белый город Тель-Авива всемирным культурным наследием за «выдающийся пример нового градостроительства и архитектуры начала XX века». Также в тексте ЮНЕСКО упоминалась уникальность адаптации современного интернационального стиля к культурным, климатическим и местным традициям города.

Баухаус процветал в Австрии и Германии. После прихода к власти в Германии нацистов с волной еврейских беженцев в Палестину стали прибывать квалифицированые строители, инженеры и архитекторы, многие из которых обучались в архитектурной школе Баухаус или подверглись ее сильному влиянию. В 1933 году, когда Гитлер пришел к власти, по приказу нацистов эта школа была закрыта. Чем-то она им помешала.

Городское планирование Тель-Авива началось в 1925 году генеральным планом Патрика Геддеса, который предусматривал строительство главных дорог и бульваров одновременно с выделением в жилых кварталах озелененных участков. Уже тогда и начал вырисовываться новый уникальный облик будущего города. И вообще все складывалось неплохо для Тель-Авива: с одной стороны, остро стоял жилищный вопрос, с другой стороны, был избыток безработных архитекторов, обученных в школе Баухаус, выдвинувших новую, революционную для обывателя концепцию архитектурного стиля, лозунгами которого были функциональность и экономичность.

Новый Тель-Авив открывал перспективы опробовать в реальности, в сотнях самых разных по назначению новых зданий, противостояние старому городу с его устоявшимися стереотипами и архитектурой. Архитекторы того времени не посрамили чести и достоинства нового стиля, нового века. Баухаус, убитый в Германии, продолжал жить и торжествовать в Израиле, созидая новый образ, символ новой жизни. Этот стиль, как говорится, оказался в нужное время в нужном месте и был принят людьми. Сейчас все это выглядит привычно: лаконичные пропорции и внешняя простота форм, белый цвет, впитавший глубокие восточные тени и ослепительно яркий, да и практичный в жарком климате, отражающий избыток солнечных лучей, — все пришлось кстати. Здания возводились быстро и дешево, а в социалистической атмосфере тогдашней Палестины все аспекты и замыслы жилых строений в стиле Баухаус могли быть использованы в полной мере.

Плоские кровли создали классическую для Востока ступенчатую планировку с возможностью использовать крыши как террассы и сады. Более поздние здания «оторвались» от земли и были построены на бетонных столбах-колоннах, открыв под домами свободные затененные пространства с постоянной естественой вентиляцией для пешеходов и газонов. Вот вам и пять принципов, выдвинутых гением XX века Ле Корбюзье, и русский авангардизм и конструктивизм. Удивительно, как легко и просто прижился этот западный, возникший в Австрии стиль, и так прижился, что даже незаметен. Да, Восток воистину дело тонкое, хотя люди пытаются освоить его и понять не только душой, но и разумом. Чисто эмоционально баухаусная часть Тель-Авива мне понравилась.

Из современных архитектурных работ интересен Центр мира имени Шимона Переса, архитектором которого был не Моше Сафди, как все привыкли, а итальянец Массимилиано Фуксаса. Он, по его словам, стремился воссоздать «ощущение наполненности и спокойствия». Здание расположено на берегу Средиземного моря и сильно доминирует в окружающей малоэтажной застройке, благодаря своим размерам напоминая гигантскую коробку-корзину, сплетенную из стеклянных и бетонных изогнутых и узких панелей. Внутри него есть все что угодно: библиотеки, кинотеатр и выставочные залы, различные аудитории, образовательный центр и офисы, а также «Центр мира Переса», который был основан 10 лет назад президентом Израиля Шимоном Пересом.

Есть в Тель-Авиве прекрасная, действительно душевная часть — Рамат-Авив, куда я всегда приезжаю, потому что здесь живет моя знакомая уже лет сорок, а может, и больше. Это милейшая женщина Роза, с которой всегда интересно проводить время. Она из так называемой «алии ученых» — волны еврейских иммигрантов, приехавших в страну в начале 70-х годов. Рамат-Авив чистый, ухоженный и красивый. Дома здесь светлые, в основном белые, море цветов — рай, да и только. Гимель — это самый известный его квартал. Часть Рамат-Авива, которая называется Цахаль, застроена удобными невысокими коттеджами и многоквартирными домами. Здесь живут богатые люди, в Америке это назвали бы «старые деньги», но и не только. В этих районах покупают за немыслимые суммы дома и виллы новые русские со своими «новыми деньгами». Очень много зелени в районе Миштала, это тоже Рамат-Авив. Везде тихо и приятно, чувствуется хорошее качество жизни, которым славится весь Северный Тель-Авив и Рамат-Авив как его часть.

Как обрусел Израиль!

Однажды я обратилась на иврите к черноволосому парню с темно-карими восточными глазами, подумав: точно марокканец, спросила, как пройти к ближайшему магазину, где продаются кисти и краски. Он, услышав мой акцент, ответил на чистейшем русском языке. Потом мы еще не раз интересовались у людей, как проехать или пройти куда-то. Отвечали нам по-русски в семи случаях из десяти. Вот чудеса! Сейчас население Израиля шесть с половиной, может быть, уже около семи миллионов. Из них два миллиона — наши, но у меня сложилось впечатление, что говорит по-русски каждый второй. И как бы они ни спешили, куда бы ни бежали, всегда останавливаются, объясняют, провожают, если время есть, даже до места. Это касается всех израильтян, не только русскоговорящих. Кстати, до художественного магазина нас проводил русский парень, который как раз туда и шел, рассказав по дороге всю свою биографию и разузнав подробности нашей жизни.

Зима 1991 года была холодной, до минус трех градусов доходило, страшное дело. Смена климата подействовала так, что я сразу заболела, простудилась, болело горло. Мне говорили, что в Израиле все знают английский язык, так что я и не волновалась, как первое время обойдусь без древнееврейского. Приехав в Израиль, я даже точно и не знала, как на нем поздороваться или извиниться. И вот, простудившись, я на третий день моего пребывания в стране впервые отправилась в магазин — за медом, надеясь обойтись милейшим английским словом «honey». Любезно и тихо я спрашивала марокканских евреев Кирьят-Шмоны по-английски, не продадут ли они мне мед. Когда меня не поняли в третьем магазине и попросили громко и доходчиво объяснить, чего я хочу, на простом английском, который в Туманном Альбионе называется «broken English», я объяснила. «Дваш!!!» — радостно выдохнули израильтяне. Так «дваш» — мед стал моим первым ивритским словом, и скоро я уже распевала по-

пулярную тогда песню: «Манго, банана вэ лимон, дваш вэ цинамон...» Переводить, надеюсь не нужно, впрочем «цинамон» — это корица.

В гостинице Эйн-Геди работником, который нас заселял, был Лева, а здесь, в небольшом отеле на берегу Средиземного моря, нас принимал Женя. Гостиница маленькая, построенная на склоне. Около нее несколько парковочных мест, не больше пяти. Женя сказал: «Подождите минутку, я сейчас куда-нибудь отгоню свою машину, и поставим вашу». Все просто, все свои, все по-домашнему. Мы сказали, что не будем ездить на машине все три дня в Тель-Авиве, будем только ходить пешком. Нам дали парковочное место у гостиницы, куда мы и поставили машину так, чтобы она не мешала другим выезжать и въезжать. Женя вспомнил, что завтра бесплатная экскурсия на бриллиантовую биржу с заездом в старинный город Яффо, на которую мы с радостью записались, хоть и мелькнула мысль, что бесплатно попасть на бриллантовую биржу — это странно. Обрусел Израиль, а когда-то он был совершенно другой страной. Не могу не сделать паузу в описании страны, чтобы рассказать о той, кто эту самую страну создавал. По-моему, она заслуживает внимания.

Голда Меир

Она вспоминала, как в первые годы строительства Израиля люди работали день и ночь — не имея в достаточном количестве еды, не имея нормальной одежды. Тогдашние «модницы» вырезали дырки для рук в мешках из-под зерна или еще чего-то, и получалось платье. И ладно! Вся жизнь была ради идеи.

Она была дочерью плотника из Киева. Она стала премьер-министром, а потом президентом страны. Кстати, от этой должности отказался Эйнштейн.

Она была остроумной и веселой, за словом в карман не лезла, была непримиримой и фанатичной, очень человечной, внимательной и доброй. Только однажды не послушала она свою интуицию, доверившись трезвому логическому рассуждению, а потом горько об этом пожалела. Это было перед войной Судного дня, жестокой и кровопролитной. Король Иордании Хусейн тайно прилетел в Израиль и сообщил Голде Меир, что другие арабские страны готовят внезапное нападение. Ах, были бы все соседи такими божьими посланниками, как покойный король Хусейн! Этот человек был храним Всевышним: в юности на него было совершено покушение, кто-то выстрелил ему в грудь, но пуля отскочила от медальона. Он тогда примчался и предупредил, но она не поверила. Все анализировала и не могла поверить, что нападут. Не такая тогда была ситуация. Однако противники напали, причем неожиданно. Потери в той короткой войне были ужасны. Она укоряла себя, что ее предупреждали, а она не послушала и ничего не предприняла. Это подкосило ее. Она еще правила после войны 1973 года, но память о той ошибке осталась в сердце.

Она закупала оружие в Америке и не только, прекрасно в нем разбираясь, сажала деревья, строила и защищала маленькое государство для народа. Многое в мире изменилось благодаря ее усилиям к лучшему. Голда Меир — женщина-президент, женщина-легенда. Приведу немного подробностей из ее биографии.

Голда Меир родилась в бедной еврейской семье. Из восьми детей выжили только трое: Голда и две ее сестры: старшая и младшая. Начало века ознаменовалось еврейскими погромами в России, и семья сначала перебралась в Пинск, а оттуда эмигрировала в Америку. В четвертом классе она вместе с подругой создала «Американское общество юных сестер» и занялась сбором средств для помощи детям из бедных семей. Речь маленькой Голды так потрясла собравшихся, что не только были собраны средства на учебники, но и на страницах местной газеты появился ее портрет. Впрочем, и речь очень пожилой Голды также блещет остроумием, в чем недавно я убедилась, прослушав ее диалог с журналистом на английском языке и смешную перепалку с певицей Барбарой Страйзанд во время концерта. По окончании школы, в возрасте 14 лет она уехала в Денвер к старшей сестре, чтобы продолжить образование, стала подрабатывать учителем английского языка для евреев-эмигрантов за 10 центов в час. Такие тогда были цены. Бурные дискуссии в среде эмигрантов формировали сознание взрослеющей Голды. Здесь же, в Денвере, она встретила своего будущего мужа Морриса Меерсона. В 1914 году Голда Меир вернулась в Милуоки. В 1916 году она поступила в «Учительский колледж», и в 1917 году состоялась ее свадьба с Морисом Меерсоном. В 1921 году Голда репатриировалась в Палестину (тогда — часть Османской империи) вместе со своим мужем. В 1956 году, будучи на государственной службе, по настоянию Давида Бен-Гуриона она приняла фамилию Меир.

В двадцатых годах Голда работала в кибуце Мерхавия, но у ее мужа Морриса начались серьезные проблемы со здоровьем. Ужасный климат, свирепствовавшая тогда малярия, плохая пища, работа в поле — все это оказалось для него слишком тяжелым, и ради мужа Голда согласилась оставить кибуц. Семья жила в домике из двух комнат, без электричества, так что готовить приходилось на примусе в сарае. В ноябре 1924 года родился их первенец Менахем, а через два года появилась на свет дочка Сарра. Чтобы платить за дом, Голде приходилось брать в стирку белье, которое она стирала в корыте, нагревая воду во дворе. Уже в 1928 году она возглавила женский отдел Всеобщей федерации трудящихся. Работала Голда Меир на различных должностях на государственной службе, и только многим позже была избрана в Кнессет.

14 мая 1948 года Голда Меир стала одной из двух женщин, подписавших Декларацию Независимости Израиля. Всего декларацию подписало 38 человек. Вот ее воспоминания об этом памятном дне: «Государство Израиль! Глаза мои наполнились слезами, руки дрожали. Мы добились. Мы сделали еврейское государство реальностью — и я, Голда Мабович-Меерсон, дожила до этого дня. Что бы ни случилось, какую бы цену ни пришлось за это заплатить, мы воссоздали Еврейскую Родину. Долгое изгнание кончилось».

Испытание на прочность не заставило себя ждать, и на следующий день, 15 мая, Израиль подвергся нападению со стороны соединенных армий пяти вооруженых до зубов арабских стран, и началась война за независимость и само существование Израиля. Первым государством, признавшим Израиль, стал СССР, он же стал и поставщиком оружия, а первым послом Израиля в бывшем Советском Союзе с июня 1948-го по март 1949-го была Голда Меир-Меерсон.

С марта 1969 года Голда Меир занимала должность премьер-министра Израиля, она была первой и единственной женщиной — президентом Израиля. Ее правление было омрачено распрями внутри правящей коалиции, серьезными разногласиями и спорами, работой над стратегическими ошибками правительства и общей нехваткой лидерства, что в 1973 году привело к неудачам в Войне Судного дня. Голда Меир подала в отставку, передав эстафету своему преемнику Ицхаку Рабину.

А дальше — история из столь знакомой нам жизни России в сталинские годы. В ноябре 1948 года на приеме по случаю 31-й годовщины Октябрьской революции, данном Молотовым для аккредитованных в Москве иностранных дипломатов, Жемчужина уединилась с Голдой Меир и заявила ей на идиш, который обе прекрасно знали: «Я — еврейская дочь», — она тоже была из местечка. Затем она одобрительно отозвалась о посещении Меир хоральной синагоги в Москве и на прощанье пожелала благополучия народу Израиля, подчеркнув, что если ему будет хорошо — будет хорошо и евреям в остальном мире.

Жемчужина в 1948 году была исключена из партии, а в январе 1949-го арестована и обвинена в том, что «на протяжении ряда лет находилась в преступной связи с «еврейскими националистами», затем приговорена к 5 годам ссылки. Однако на следующий день после похорон Сталина она была освобождена по приказу Берии, реабилитирована и восстановлена в партии.

Голда Меир тем временем вернулась в Израиль и с 1949-го по 1958-й была министром труда, а позднее, с 1958-го по 1966-й, и министром инистранных дел Израиля. Она занимала довольно жесткую позицию и настояла на ведении атакующих действий на территории Синая, возвращении к довоенной демаркационной линии, так называемой «Пурпурной линии». Так же решительно она действовала в вопросе уничтожения террористов, виновных в гибели израильских спортсменов на Олимпиаде в Мюнхене. Насколько я помню из документального фильма о тех событиях, террористы были уничтожены после того, как их долго выслеживали по одному.

Голда Меир умерла в Тель-Авиве в 1978 году, оставив бесценную книгу воспоминаний.

Вот слова Голды Меир об Израиле из ее книги «Моя жизнь»:

«...Я уверена, что никто не захочет заключить мир со слабым Израилем. Если Израиль не будет силен, мира не будет...

Как я представляю себе будущее? Еврейское государство, в котором будут селиться и строить евреи со всех концов света; Израиль, сотрудничающий со своими соседями на пользу всех людей региона; Израиль, который останется процветающей демократией, а общество будет зиждиться на основах социальной справедливости и равенства... Пусть никто не сомневается: на меньшее наши дети и дети наших детей не согласятся никогда».

Не могу удержаться, чтобы не вставить в книжку анекдоты и афоризмы, авторство которых приписывают Голде Меир.

Во времена исполнения Голдой обязанностей премьер-министра она попыталась убедить Генри Киссинджера сделать Израиль своим приоритетом. Он особым желанием поддерживать Израиль не отличался и во время одной из войн сказал, что помогать не будет, пока не появятся первые жертвы. У меня вообще такое впечатление, что из всех войн Израиль выходил в одиночку. Киссинджер ответил Голде письменным посланием: «Я хочу проинформировать Вас о том, что, во-первых, я — гражданин США, во-вторых, государственный секретарь, а только в-третьих — еврей». На что Голда ответила: «Мы, в Израиле, читаем справа налево».

Голде Меир принадлежат и другие замечательные высказывания, например: «Лидер, который не задумается прежде, чем пошлет свой народ сражаться, не достоин быть лидером». «Мы не радуемся победам. Мы радуемся, когда выращен новый сорт хлопка и когда земляника цветет в Израиле». «Пессимизм — это роскошь, которую евреи не могут себе позволить». «Я никогда не прощу арабам то, что они заставили наших детей учиться их убивать».

Про Голду Меир сложено много анекдотов. Расскажу парочку:

Летят в самолете после сессии ООН американский президент Джон Кеннеди, премьер-министр Израиля Голда Меир и советский лидер Никита Хрущев. Мирно беседуют. Вдруг начинается страшная гроза и в самолете появляется ангел:

— Господа, сейчас произойдет катастрофа, и даже Бог не в силах ее предотвратить; единственное, что он может сделать из уважения к вам, — это исполнить ваши последние желания. Он послал меня, чтобы узнать, каковы они.

Импульсивный Хрущев сразу же воскликнул:

— Мое последнее желание — уничтожить капитализм во всем мире!

— *Тогда*, — *принял вызов Кеннеди*, — *мое последнее желание — уничтожить социализм во всем мире!*

— *Уважаемый ангел*, — *сказала Голда Меир*, — *если Бог исполнит желания этих двух господ, мне, пожалуйста, чашечку кофе...*

Служба разведки сообщает Мао Цзэдуну:
— *На нас собирается напасть Израиль.*
— *А сколько их там?*
— *Да два миллиона, кажется...*
Мао Цзэдун отвечает:
— *Разогнать это общежитие!*
Через некоторое время Голде Меир сообщают:
— *На нас Китай собирается напасть.*
— *А сколько их там?*
— *Да где-то миллиард.*
Голда Меир схватилась за голову:
— *И где же я их всех хоронить-то буду?*

Израильский хай-тек и сближение с Россией

Когда-то в 1991 году я ехала в Израиль через Грецию с остановкой в Афинах на четыре дня, потому что не было ни прямого рейса Москва – Тель-Авив, ни дипломатических отношений. А теперь все по-другому: можно спокойно ездить из России в Израиль и обратно вообще без визы. Купил билет, три часа, и ты на месте.

Экономическое сотрудничество между Россией и Израилем в последнее дестилетие характеризуется стабильным ростом торговли и развитием уровня двусторонних инвестиций как в индустрии высоких технологий, так и в сельском хозяйстве и производстве товаров массового потребления.

Товарооборот между этими двумя странами за 1991–2006 годы вырос с 12 млн до 2 млрд долларов. В 2005 году во время визита Владимира Путина в Израиль был поставлен рубеж товарооборота в 5 миллиардов долларов к 2010 году. Израильские компании совместно работают не только с госкомпаниями и корпорациями, но и с частным сектором экономики. В России зарегистрировано более 900 совместных российско-израильских компаний. Меня это очень радует. Дело найдется всем, включая почти два миллиона русских евреев-израильтян.

Налицо значительные успехи в развитии сотрудничества двух стран в сфере высоких технологий и телекоммуникаций, и тому можно привести множество ярких примеров. Около половины российских волоконно-оптических сетей построено с использованием оборудования израильских компаний, и их услугами сегодня пользуются 43 млн абонентов в России. Израильские компании также принимают участие в российской федеральной целевой программе «Электронная Россия», согласно которой заключено соглашение о поставках наземных станций для обеспечения работы спутниковых систем, что позволит оборудовать дальние почтовые отделения России и осуществить их телефонизацию.

С помощью российских ракет-носителей на орбиту были выведены три израильских спутника. Израиль в рамках совместного соглашения осуществляет поставку оборудования и разработку российской военной техники и вертолетов.

Яффо

Дождик помешал нам вволю погулять по прекрасному Яффо, городу на море, с которого и начался большой Тель-Авив с его красивой набережной. В старой части города много магазинчиков, где продаются изделия прикладного искусства, чеканки, керамика, картины всех направлений. Улочки светлого камня, но узенькие и все вверх-вниз имеют названия почему-то знаков зодиака. Интересно, кому это первому пришло в голову? Впрочем, это давольно оригинально: идешь по улице Овен, проходишь несколько галереек с живописью и ты уже на улице Скорпион. Здесь есть и мост Зодиаков, или мост Желаний с железными кольцами на перилах, которые символизируют знаки зодиака.

У этого города славная история, только нам мало достопримечательностей удалось увидеть из-за дождя. Облюбовали его художники. Такие же галерейные улицы есть и в Цфате, а рядом с Хайфой был поселок художников, который сгорел пару лет назад в пожарах, возникших из-за жары, о чем сокрушался весь Израиль. Сколько интереснейших картин, поделок, скульптур погибло! А в Цфате мы еще побываем, когда доберемся на север.

В Яффо мы посмотрели Мигдаль-а-Шаон (башню Часов) — одну из главных достопримечательностей. Это башня с красивыми решетками, на которых выбита история города, и четырьмя циферблатами. История города начинается бог знает когда, но очевидно, что тысячи лет назад (сколько тысяч, писать не буду, потому как у меня на это свое мнение). Знаю точно одно: именно здесь строил свой ковчег праведник Ной, именно здесь загонял в него «каждой твари по паре» и спускал его на воду, дабы пережить с семьей всемирный потоп. Именно сюда приплыл после потопа его сын

Яфет и построил город, named Яффо — созвучно с его именем.

От нескончаемого мелкого дождика мы скрылись в Музее истории Яффо (Музеон летолдот Яффо). Христианские святыни есть в этом городе, как, впрочем, и на всей территории Израиля. Считается, что именно здесь сидел в заключении святой Петр. Поэтому и стоит здесь храм Святого Петра (Кнесият Сент-Петрус). Вид на море прекрасен, можно любоваться всем побережьем Яффо. Особенно красивая панорама открывается с площадки на вершине холма, которая, не знаю почему, называется «Абраша-парк». В центре площадки находится большая скульптурная композиция «Врата веры». Там есть арка, встав в которую можно и нужно загадывать желания. У нас есть много фотографий разных лет, где старшая дочь радостно улыбается, стоя в этой арке рядом с одноклассниками, их туда часто возили на экскурсии. Загадывать желания нужно обязательно с закрытыми глазами и дотронувшись до памятника.

Кругом стоят статуи Наполеона, и не просто так. Это указатели, направляющие людей в подземный музей Наполеона, куда мы по причине усиливающегося дождя не добрались. Еще в Яффо есть дерево, которое растет на подвешенном камне, вот такая удивительная вещь. Зачем так сделано — не знаю, но дерево растет, и туристам его показывают. Однако главное впечатление от Яффо — вечность этого города, одного из красивейших и древнейших средиземноморских портов.

Солнечная энергия

Проезжая по шоссе мимо стандартных многоквартирных домов, встречавшихся на пути, гладя на бесчисленные крепко сидящие на крышах солнечные батареи (бойлеры, как их здесь называют), я вспомнила недавно услышанную информацию о том, что после катастрофы на атомной станции Фукусима в Японии в 2012 году Германия приняла решение законсервировать 20 атомных станций, а Индия отказалась достраивать две почти готовые электростанции, в которых промышленность страны нуждается, да еще как. Там все население было против, люди боялись столь опасного соседства, и правительство приняло решение не достраивать станции. Похоже, что солнечная энергия — это главная надежда человечества на разумное развитие энергетики. И тут Израиль оказался если не впереди планеты всей, то, по крайней мере, среди первых, иначе чего ради США совместно с Израилем разрабатывают и строят солнечные промышленные электростанции? Стандартные солнечные бойлеры размером два на два метра есть во всех городах и кибуцах страны, а есть бойлер — значит, большую часть года владелец установки даром получает горячую и теплую воду.

Эта история началась еще в шестидесятые годы. Сегодня на крышах 80 процентов домов установлены солнечные панели. Жизнь в стране бывает неспокойна, поэтому, отказавшись от «мирного атома» по причине того, что все может быть — и террористические выходки, и природные катастрофы, — Израиль лет пятьдесят назад сделал окончательную ставку на альтернативную энергетику, прежде всего имея в виду солнечную и ветровую энергию. При университете имени Бен-Гуриона был создан Национальный центр солнечной энергии. Нынешний директор этого университета Давид Файман сконструировал огромную параболическую антенну, с помощью которой на фотоэлектрические панели фокусируется в тысячу раз больше света, чем в обычных установках. Этот агрегат преобразует в электричество более семидесяти процентов солнечной энергии.

Израильтяне разработали еще один интересный новый проект, и в конце этого года одна израильская фирма завершит в американском штате Калифорния строительство мощнейшей солнечной электростанции, которая обеспечит энергией 400 тысяч частных жилых домов!

Алмазная биржа

Бесплатная экскурсия на автобусе с гидом по центру Тель-Авива с заездом в город Яффо финансировалась Алмазной биржей Израиля, которая находится в городе Рамат-Ган. Современный элегантный город удивил своими конструкциями, небоскребами, интересными зданиями разных форм, и округлыми, и вытянутыми. Чудесные парки в цвету покоряли красотой и обилием детских площадок. Подвесная железная дорога (монорельсовая, насколько я понимаю), широкие улицы и какая-то повышенная деловитость. Население города меньше ста тридцати тысяч, а впечатление такое, что попал в мегаполис. Мы проехали по нему, посмотрели по сторонам из окошек автобуса. Подъехали к музею искусств, но из-за проливного дождя побоялись выйти и решили посетить его после Алмазной биржи. Зато посмотрели на громадный Национальный стадион с зелеными полосками подстриженной травы.

Выбежав из автобуса, мы вскоре оказались в здании Алмазной биржи, вернее, в музее, потому что весь комплекс биржи включает четыре здания. Нас встретил гид, который подробно рассказал о создании биржи и сообщил о том, что это всемирный центр огранки алмазов. Сюда со всего мира привозят алмазы, здесь их оценивают, делают огранку, превращают в сверкающие каратами бриллианты и отправляют заказчикам или создают прямо здесь ювелирные изделия, которых на бирже много, и это не только бриллианты, как можно было себе представить. Для тех, кто интересуется историей алмазов и их огранкой, стоит посетить Музей алмазов им. Гарри Оппенгеймера, который был открыт в середине 80-х годов прошлого века. В последнее время была произведена реконструкция музея, и 11 февраля он официально открыл свои двери для посетителей. Музей алмазов приглашает всех желающих в увлскательное путешествие по сложному пути превращения невзрачного камня в сверкающий бриллиант. Экскурсанты знакомятся с современными технологиями очистки и огранки, с системами торговли, со свойствами камней и с их применением в ювелирных изделиях и промышленности. Мы долго обходили музей, где в одних комнатах выставлены редкие бриллианты и ювелирные изделия из них, в других на стенах висят экраны. Можно посмотреть кино о самом процессе огранки бриллиантов и увидеть, в какой последовательности, что и как происходит. Мы узнали, что ювелиры всего мира, работающие с бриллиантами, традиционно говорят друг другу при прощании «Мазал тов» (удачи тебе) на иврите, и никто этому давно не удивляется.

В конце концов нас привели в магазин ювелирных изделий... и каких изделий! Ну совершенно не входило в наши планы покупать бриллианты на шестой день путешествия. А я бриллианты и не хотела. Я вообще ничего здесь не хотела... кроме морского жемчуга, о котором мечтала несколько лет. Я приценивалась к бусам из жемчужин средней величины, присматривалась к мелким жемчужинам... и вдруг мы купили бусы из самых крупных жемчужин, на седьмом небе от счастья. Кстати, если будете покупать что-то на Алмазной бирже, не забудьте взять специальную бумагу, по которой вам вернут в аэропорту часть денег (налог, который турист не платит) — нам при отъезде вернули очень ощутимую сумму, причем быстро и без проблем.

Нам так понравился Рамат-Ган, что на следующий день мы решили посмотреть его более детально по дороге в Сафари, огромный зоопарк-заповедник, находящийся рядом. Приехали утром, когда весь животный мир еще только просыпался. Зебры подходили к нашему трамвайчику (не знаю, как правильно называется эта машина). Великолепные жирафы брали прямо из рук зеленые листья. Господи, хорошо-то как! Хотя нервы дали о себе знать, когда прямо на нас из воды вышли бегемоты. Кого здесь только нет... даже африканские слоны, носороги и самый популярный зверь на любой американской и канадской помойке и редкий гость в этих краях — енот. Мы ушли в три часа, не дожидаясь вечера, когда здесь начинают пикировать, не дай бог, на голову летучие мыши и летучие лисы. Есть в этом замечательном месте животные удивительные, которых я не то что в жизни — на картинке никогда не видела, например тапир. Очень милый тапир, молодой и пятнистый. Все звери кажутся умиротворенными и довольными жизнью. И действительно, им здесь неплохо живется, они и размножаются в Сафари с большим рвением.

Уезжая обратно в Тель-Авив, мы еще раз сделали несколько витков по полюбившемуся нам Рамат-Гану, после чего отправились в нашу гостиницу. Вот и второе откровение после Модиина. Как же так сложилось, что я бывала в Тель-Авиве чуть ли не каждый месяц, а сюда никогда не добиралась? Пожалуй, если начинать все сначала, я поселилась бы в Рамат-Гане, и вовсе не из-за Алмазной биржи. Просто понравился город. На шоссе можно разогнаться и мчаться, любуясь видами из окна и великолепными дорогами. Да, дороги шикарные, ровные, освещенные и широкие. А по дорогам едет народ.

6. Народ

Железная кровать

Да... народ едет. Когда после стольких лет жизни в Израиле я оказалась в Канаде, где один водитель предлагает другому жестами, нежным бибиканьем и ласковыми помахиваниями проехать, а другой жестами же показывает, что, дескать, «ни к коем случае, ни за что и никогда, только после вас, сэр», мне все время казалось, что я брежу. В Израиле все просто, все свои, а главное — темперамент у всех! Идешь по улице медленно, на тебя еще и прикрикнут: «Зузи, геверет!» (двигайся, шевелись, госпожа!). Вообще все разговаривают эмоционально.

Первое время, двадцать лет назад, на работе я порой на что-то обижалась, считала неправильными чьи-то слова и реакции и потом с человеком — участником разборки — пару дней не разговаривала, ходила надутая, еще не пони-

мая, что инцидент был исчерпан и забыт уже в момент самого инцидента. Вот тогда израильтяне меня не понимали, а я их. Но это было давно. Потом произошла стычка с коллегой — марокканским евреем, который обвинял наших, что они ходят с задранными носами, ничего из себя не представляя, и не поймешь, что у них на уме и чем это они так гордятся, а сами... а сами... В общем, слово за слово, меня понесло, я вопила, что это мои, а не его прадедушки создавали первые кибуцы и возводили страну, отбиваясь от нападающих со всех сторон... это мои прабабушки из России, надев, подобно Голде Меир, холщовые мешки из-под зерна с вырезанными дырками для рук и шеи, работали по 20 часов в день, приводя в порядок Зеленую Галилею, сожженную и превращенную в болотистую местность за 400 предшествующих лет, а его предки приехали из Марокко на все готовое. Короче, диспут закончился тем, что он кричал: «Тебе, Елена, нужна «мита барзель» (железная кровать)!», видимо, намекая на мою психическую нестабильность. После скандала мало того, что мы с ним стали лучшими друзьями, так меня все сотрудники и начальство стали уважать безмерно. Потом мне стало ясно, что это произошло оттого, что я открыто сказала что думаю, выразила свое мнение и стала понятной.

Вообще израильтяне могут остолбенеть, если в кафе вежливо попросить у людей, сидящих за соседним столиком: «Извините, передайте мне, пожалуйста, кетчуп», а если еще добавить: «Будьте любезны», то вообще сочтут за ненормального. Все эти контакты происходят по другой схеме. Обсуждается все шумно, при этом каждый чувствует себя уважаемым и полноценным членом общества. А уж поведение израильтян на дорогах... а уж на скоростных... зрелище не для слабонервных, проще говоря. Сказать, что мне это ново, — смешно. Обгоняют, спешат, подрезают, орут, подрезая, высовываются в окно и кричат, обгоняя, — это нормально... темперамент! А все равно, проведя годы в вежливом, прохладном раю, хоть я и очень люблю и уважаю канадцев за вежливость, ненавязчивость, недозволенность лезть в душу и что-либо критиковать, я не могла даже предположить, что может настать час, когда лихачи на дороге будут мною восприниматься спокойно. Вот этим ощущением, что все родственники, сейчас они хамят, а завтра пойдут за тебя воевать, что к любому члену правительства обращаешься на «ты», что вот этот малюсенький клочок земли, обозначанный цифрой на карте мира, который почему-то всем нужен, это что-то совсем не просто так, и души, и эмоций, и любви генерирует он куда больше, чем громадная Австралия или претендующая на все первые роли Америка.

Глаза нашего друга

Вспомнилась занятная история. После работы муж часто встречал меня на машине, и мы ехали в кибуц Агошрим плавать в бассейне, загорать на зеленой траве и играть в настольный теннис, куда я обычно покупала абонемент на целый год для всей семьи. Младшая дочка делала заплывы в Агошриме и подтягивалась на металлических поручнях у входа в бассейн с того момента, как начала ходить, с десяти месяцев. Около девушки-кибуцницы, которая сидела за столиком и продавала билеты, стоял высокий молодой человек лет тридцати и неспешно с ней беседовал. Одет он был как и подобает человеку, который пришел поиграть в настольный теннис и поплавать. Видно было, что он думает о чем-то своем, а разговор поддерживает из вежливости. Однако самое главное, что поражало, это было выражение его глаз — абсолютно советское, такое замыленно русско-советское, которое узнается в любом краю, хоть в Исландии, хоть в Нигерии, как бы человек ни был одет и на каком бы языке он ни говорил, а наш незнакомец говорил на иврите как человек, родившийся в Израиле. Очень редко, практически никогда после двадцати лет жизни на Западе у нашего человека, выросшего в СССР, не появляется в глазах огонек заинтересованности, свойствен-

133

ный людям другой ментальности. У нас, чем бы мы ни занимались, нет-нет да и проскальзывает взгляд человека из московского метро, нормальный взгляд, но очень характерный, я думаю, вы понимаете, о чем я говорю. Так вот этот парень с густыми, коротко подстриженными черными волосами и совсем не русскими темно-карими глазами смотрел именно так, и было в этом поразительное несоответствие. Я сказала мужу:

— Спорим, что он наш!

— Поспорить-то можно, но ты проиграла... 200 процентов, у него нет акцента.

— Неважно, он смотрит как мы. Он из России.

— Не может быть, он израильтян!

— Это удивительно, не может быть, но он наш человек.

Я подошла к задумчивому брюнету и рассказала ему про наш спор. Ответил он по-русски, абсолютно чисто, что в споре не победил никто, поскольку он — друз (араб), учившийся в институте в России, в одном небольшом городке. Получив ходовую хорошо оплачиваемую профессию, он остался там еще на три года работать. Друзы — это совершенно особая нация, их городов и деревень много по всему Израилю. Они пользуются всеми правами, что и израильтяне, служат в Армии обороны Израиля, среди них много офицеров. У моего брата в офисе друзов ровно столько, сколько евреев.

Все дружно сосуществуют. Наш новый знакомый жил высоко в горах на севере, в той части страны, которая раньше, до 1967 года, принадлежала Сирии.

Оказалось, что была у него в России любовь, русская девушка, лучше которой нет. Родители требовали, чтобы он вернулся домой, и желательно один. Он подчинился, будучи (удивительное дело!) единственным ребенком в семье, и вот уже два года после возвращения мучился и совершенно не мог привыкнуть к своему родному друзскому городку, окружению, быту, достойной и даже почетной работе. Все казалось ему чужим и вгоняло в жуткую тоску. А главное, что причиной была не только его русская любовь, а вообще глобальная тоска по России и полное ощущение, что дом его там, а вовсе не здесь.

Мы подружились, он приходил к нам в гости, мы часто одновременно приезжали в Агошрим и вместе проводили время в кибуце. Приглашал он нас и к себе в гости, в друзский город, где дома с плоскими крышами, потому что достраиваются вверх, если женится один сын, потом, если женится следующий, каждому наверху достраивается квартира. Мы видели бесконечные фруктовые сады, принадлежавшие его родителям, к которым наш приятель был совершенно равнодушен, как и ко всему в своем родном краю. С нами за столом сидел его отец в широких черных штанах, которые по традиции носят все друзы, и черной шапочке, нас полюбили и даже посвятили в особенности их религии, сказав, что они, конечно, мусульмане, но в Мекку не ходят и верят, что человек рождается не один раз.

Его мама не сидела с нами за столом, а только прислуживала, принося восточные сладости и соки молча и лишь поглядывая добрыми голубыми глазами и шурша тонкой тканью черного платья и белого шарфика, которым прикрывала лицо, чтобы видны были только глаза. Постепенно мы познакомились и с друзьями нашего «русского» ностальгирующего араба.

Один из друзей однажды подвозил нас домой на своей машине и поведал «страшную» тайну, что хоть и принято в их кругу говорить, будто Израиль захватил их местность в 1967 году и что они ждут того дня освобождения, когда с божьей помощью этот кусок земли опять отойдет Сирии, на самом деле не приведи господи, чтобы их опять присоединили к этой стране. Об этом думает каждый, но говорит только у себя дома, потому что они работают, получают все израильские льготы, пенсии и пособия, пользуются медицинским обслуживанием, посещают больницы, имея медицинские страховки, как и все израильтяне-«оккупанты», получают образование... и не дай бог... не дай бог... обратно в Сирию, где даже понятия «пенсия» не было, как он сказал, а так — работай, пока не помрешь. Не знаю, правда это или нет, но за что купила — за то и продаю. Никто его за язык не тянул — так сказал этот молодой друг, разоткровенничавшись с попутчиками, человек, которого мы никогда больше не увидели и знали, что не увидим... И он знал, что не увидит нас.

Но вернемся к нашему душевному другу, страдавшему на родине. Шло время, голубоглазая мама приводила ему местных невест, но он был к ним равнодушен. Изнывал на работе, радовался встречам с нами. Потом он исчез на несколько месяцев из нашего круга общения, закрутили нас какие-то дела, мы долго не ездили в Агошрим, а когда приехали, нам рассказали, что молодой человек уехал все-таки в далекий российский город, куда звала его любовь и еще какое-то не объяснимое словами чувство притяжения к своему месту на планете. Может быть, это связано с прошлыми жизнями, если таковые имеют место быть.

Заместитель мэра города и уборщица

Забегу немного вперед. Мы находились уже близко к цели нашего путешествия, а наша цель, как вы помните, — это крайний север Израиля, когда возник на пути один знакомый городок, в котором живет мой хороший приятель и бывший сосед — доктор. Было утро, и он, скорее всего, был на работе, поэтому мы решили заглянуть к нему в кабинет, где доктор принимал пациентов. Никого не было ни около кабинета, ни в очереди, то есть и очереди не было, ну и прекрасно, значит, народ здоров, что само по себе замечательно. Постучали, зашли, дальше приветствия, расспросы: что да как, кто где, как вообще? и «хуц ми зе?» (а кроме этого?) — так спрашивают израильтяне, когда хотят выудить самую важную, порой скрываемую информацию, дескать... о политике, Газе, Обаме, дороговизне и семейных делах мы уже поговорили, все с этим ясно, ничего нового не скажешь, а теперь давай выкладывай самое главное. Беседа только начала принимать самый интересный оборот, как вдруг в раскрытую дверь кабинета вошла пожилая уборщица с ведром и традиционной израильской шваброй и тряпкой. Тряпки эти, половые тряпки, надо сказать, сделаны из такого удобного впитывающего и просто самостоятельно моющего материала, что хорошие хозяйки, уехавшие в другие страны, долгое время не могут привыкнуть, например, в Америке или Канаде к местным примитивным тряпкам для мытья полов и просят выслать или передать с оказией пару-тройку израильских. Это не потому, что все тут маниакально-депрессивные чистюли, а просто к хорошему быстро привыкаешь: с хорошей машины не очень-то приятно пересаживаться на примитивную, точно так же и с тряпками. К слову сказать, я никогда и нигде после Израиля больше не встречала специальные шампуни для пола. В Израиле культ чистых полов. Они в основном выложены камнем или покрыты керамической плиткой. В любой квартире есть несколько дренажных круглых дырок-стоков в полу, куда сгоняется вода после мытья пола. Для этого используется специальная резиновая швабра, аккуратненькая и удобная, таких швабр я тоже после Израиля нигде не видела. Может быть, только там так моют пол. Короче говоря, израильские женщины чистюли, и в домах обычно все сверкает, особенно пол.

Так вот, заходит уборщица, громко всех приветствует и начинает мыть пол. Мы продолжаем разговаривать: давно не виделись, новостей накопилось много. Уборщица начинает мыть под столом и требует, чтобы доктор встал. Он встает, не обращая на нее внимания, она моет, ей неудобно, она его отгоняет от стола. Доктор отходит, продолжает вдохновенно что-то рассказывать нам, она его сгоняет с того места, где он стоит, возмущаясь, что он ей мешает. Доктор начинает громко доказывать уборщице, что она неправильно все делает и вообще слишком долго моет пол, могла бы уже и закончить. Уборщица эмоционально, с итальянскими жестами, доказывает, что она все делает прекрасно, а он, доктор (между прочим, по совместительству заместитель мэра города), постоянно ей мешает. «У меня гости! Из Канады!» — говорит доктор. «О! Из Канады!» — задумчиво произносит уборщица, мельком из вежливости взглянув на нас и всем своим видом показывая, что она в курсе — это далеко. Слово за слово, оба начинают закипать, доктор садится, но она опять подгребает к нему и опять требует встать в последний раз, чтобы вторично протереть под столом. «Эйзо нудникет ат!» (ну и зануда же ты!) — с досадой говорит заместитель мэра города, вставая. Наконец она заканчивает уборку, шумно со всеми прощается и уходит. Все свои, чего там... Мы продолжаем наш интересный разговор.

Когда-то в начале девяностых был в моем окружении преподаватель английского, религиозный еврей Бэрри, от которого много интересного и нового я узнала о восприятии мира убежденных верующих евреев. Этот веселый остроумный человек, кстати, родом из Канады, сказал как-то, что Израиль с его населением, землей, водой, лесами и домами для Всевышнего — единое тело со всеми его болезнями, ранами, ссадинами и проблемами. Да, это уже тема для серьезных размышлений.

И было утро, нормальное прозрачное израильское утро с пением птиц и запахом цветущих апельсинов. Мы встали в тот день пораньше, потому что предстоял бросок: Тель-Авив — Нагария.

Море вливается в окно

Чудесный белый город Нагария встретил нас ярким светом высоченных фонарей. Мы заблудились, час ехали в противоположном направлении, не веря внутреннему голосу, кричавшему: «Развернитесь наконец! В Хайфу приедете!» Безмозглый греческий продукт под названием «логика» гнал нас все дальше, пытаясь задавить интуицию вместе со всеми ее внутренними голосами. В конце концов вдалеке показались две башенки, высоко на горе над Средиземным морем, четко просигналившие, что это действительно Хайфа.

Однако сегодня нашей целью была Нагария, где ждали нас мой бывший начальник Борис и его милейшая жена Лена. Пришлось развернуться и мчаться обратно, дыша влажным тягучим весенним воздухом с запахом эвкалиптов и цветущих апельсинов, который заполнял сквозь открытые окна нашу милую ярко-синюю машину, арендованную у фирмы «Авис», что в переводе с латыни значит «птица». Кстати, о латыни и римлянах — помните прокуратора: «Тьма, пришедшая со Средиземного моря, накрыла ненавидимый прокуратором город...»? Все верно, хотя Булгаков никогда этого не видел, но солнце действительно садится на закате в Средиземное море, и опускается тьма, то есть такое понятие, как сумерки здесь отсутствует.

Итак, мы въезжали в Нагарию в полночь. Я бывала здесь много раз лет 15 назад, мы всегда проезжали мимо, торопясь на пляж Рош-а-Никра, и я помнила только, что город... белый. А теперь! Господи! Как красиво! Совершенно сверкающий белый город, весь построенный из какого-то однотипного материала или камня, со множеством фонарей, состоящих каждый из нескольких плафончиков, напоминающих цветок. Светло как днем, народ гуляет, море шумит, пальмы растут, тепло, празднично. И все цветет, абсолютно все: деревья, кусты, цветы, клумбы, вьюны на заборчиках. Апрель месяц — коротенькая благоуханная весна.

Спрашиваю у усталого человека, только что припарковавшего машину, где нужная нам улица. В руках у него пакет с продуктами, но он начинает долго рассказывать, как проехать, затем говорит: «Нет, давай я лучше тебе нарисую». Долго ищет в машине лист бумаги, мы протягиваем свой блокнотик. Не берет, находит помятый большой лист и долго рисует план, потом бросает бумагу, взмахивает руками и говорит: «Нет, это все неправильно! Давайте я вас провожу, езжайте за мной». Он долго петляет по цветущим улочкам, проезжая мимо какой-то странной музыкальной школы, занимающей целый квартал. Мы комплексуем и чувствуем себя хамами: человек уставший, голодный, был одной ногой дома, а тут мы... Потом мы долго прощаемся, узнаем, что его родной язык польский, что он с детства живет в Израиле и работает финансовым аналитиком. Заходим наконец в квартиру Бориса и видим — море вливается в окно. Это многоэтажный длинный дом, спроектированный архитектором в виде изгиба, повторяющего линию берега моря. Квартира на восьмом этаже, а поскольку стоит дом прямо на пляже, то пляж с высоты не видно, а видно только море, которое заполняет собой громадное, во всю стену, окно. Дух захватыват от удивления и ощущения, что до моря можно дотронуться, лишь протянув руку.

Сторожевой кораблик

Фотографий того заката осталось много. Это место, куда мы всегда ездим посидеть у моря, походить вдоль берега и поплавать, называется Рош-Аникра. Пляж там безлюдный и полудикий. По берегу очень приятно гулять и любоваться Средиземным морем, которое в тот день было светло-голубым с полосками цвета морской волны. Купаться никто не рискнул, потому что волны кипели и пенились и вода была холодная, все-таки апрель. Солнце медленно приближалось к воде, превращая и небо вокруг себя, и море в сплошное оранжево-розовое свечение, а мы сидели на берегу и смотрели на это чудо. Справа на срезанной скале была вышка, с которой наблюдение шло круглосуточно, потому что граница рядом, совсем близко, а возле нее на воде качался сторожевой кораблик. Ничего не подслаешь: это Ближний Восток, где войны вспыхивают раз в несколько лет, причем серьезные войны, а уж мелкие недоразумения между израильтянами, проживающими на совсем небогатой природными ресурсами земле, обозначенной на карте цифрой, и миллиардом арабов, живущих в соседних странах, случаются практически ежедневно. «Не забудь, где ты», — словно говорил кораблик, который по мере того, как уходило в воду солнце и темнело небо, превращался в непонятное черное пятно на воде.

По дороге домой мы свернули в сторону и посмотрели на темнеющие в сумерках горы и пропасти, заросшие густым темно-зеленым лесом, недалеко от Нагарии и Акко, увидели замок крестоносцев, которые тоже много чего здесь понастроили в разные времена, но большую часть примерно тысячу лет назад. Среди древних построек есть величественные замки, и их много по всему Израилю.

Вот мы и побывали уже на трех морях: Красном, Средиземном и Мертвом, осталось еще одно, пресное Тивериадское море (Генисаретское озеро), как зовется оно в Библии, по которому «по воде аки по суху» ходил Иисус, которое на самом деле озеро и зовется оно Кинерет, потому что имеет форму скрипки. В такой маленькой стране четыре моря! Живая вода со всех сторон. Где ни копни — артефакт, где ни ступи — история. Все переплетено: реальность, мифы, легенды, история. Получается салат из всего этого, отведав которого, не сразу засыпаешь по ночам первое время в Израиле.

7. Обстановочка

Шесть человек
и утренние проблемы с кабелем

Дальше наш путь лежал в славный город фаталистов Кирьят-Шмона, где по судьбоносному стечению обстоятельств оказались в декабре 1990 года мои родители и брат, а потом к ним приехали через год и мы. Кирьят-Шмона, несмотря на странность этого заявления, стал моей малой родиной в Израиле. Дело в том, что, когда мои родители решили быть первопроходцами по части «восхождения», как здесь говорят, в землю Израиля, из СССР выезжало в эту маленькую страну 1000 человек в день. Вот такое было тогда политическое состояние Страны Советов, а может быть, люди подумали, что сегодня Горбачев двери открыл, а где гарантия, что через полгода их снова не закроют? Почему бы не воспользоваться шансом и не посмотреть, что за Израиль такой? Так поразмыслив, полтора миллиона Леви, Коэнов и просто Рабиновичей собрали свое нехитрое барахло или не собрали, поскольку денег на семью разрешали брать не больше тысячи долларов, а румынские стенки были не у всех, и, решительно настроив своих русских жен и мужей, полетели в Землю обетованную. Интересно, что многие мои знакомые смешанные семьи оказались в Израиле благодаря настойчивому подталкиванию именно русской, украинской или какой-то еще нееврейской половины. Почему так — не знаю.

Страна слишком долго была закрытой, и людям с боязнью замкнутого пространства или просто бурлящей в жилах цыганщиной жилось в ней некомфортно. Когда людей, уехавших в те годы, называют «колбасными иммигрантами», я злюсь, потому что это неправда. Когда говорят «ехали не туда, а оттуда» — тоже не соглашаюсь, потому что ехали именно туда, кому было все равно или у кого целью была Америка или Австралия, те и оказались в Америке, Италии или Австралии, а некоторые и в Германии.

Израиль — постоянно воюющая страна, даже в мирное время, даже в периоды короткого отдыха от вечного напряжения и бесконечных напоминаний о «мирном процессе на Ближнем Востоке». Кто выбрал Израиль —

147

знал, куда едет. Не буду сейчас говорить о высоких материях и притяжении земли далеких предков, о камнях Иерусалима и могиле Адама. Кто понимает, о чем я, тому объяснения не нужны. Кто живет здесь, осознает, насколько все шатко и нестабильно и как нужно ликовать и радоваться настоящему моменту, когда тихо и спокойно, и солнце светит, и ни облака на небе девять месяцев, и можно заниматься своими детьми, своими делами и творчеством, пока все тихо и не надо хватать детей и бежать в бомбоубежище. Почему я написала «город фаталистов»? Потому что за десять лет в этом городе совершенно притупилось ощущение опасности. Здесь уже с 2006 года не происходят периодические бомбежки, которые случались в предыдущие десять лет, после того как Израиль вывел войска из Ливана. Теперь юг страны стал более взрывоопасен, а тогда люди при звуках тревоги в нашем городе отводили детей в бомбоубежище, а сами продолжали заниматься своими делами, а если под это дело отпускали с работы, иногда делали в садике около дома барбекю («аль-аэш» на иврите) и проводили часы в разговорах типа:

— Я думаю, сегодня ненадолго.

— А я предчувствую, что это может затянуться на пару-тройку дней.

— Неважно, на нашу улицу все равно «катюша» не упадет.

— Почему?

— Потому что такова ее траектория. Она же летит... сила инерции, а тут гора, она же не может остановиться и упасть перпендикулярно вниз под гору.

— Ну да, точно, не упадет здесь.

— А в прошлом году упали две. Как ты это объяснишь?

— Да не буду я это объяснять, просто чувствую, что опасности нет...

— Если затянется, придется выехать к родственникам в Хайфу.

Вот такие неспешные разговоры интуитивных фаталистов велись в дни обстрелов в нашем городе. Люди, которые постоянно живут в напряженной обстановке, поневоле сближаются, соседи начинают чувствовать себя вроде как дальними родственниками или членами большой семьи. Наша улица, вернее район, в котором в 1994 году мы купили квартиру, облюбовали русскоязычные. В нашем восьмиквартирном доме живет только одна семья коренных израильтян, остальные — наш народ. В один из первых дней после приезда, в этот раз в 2011 году, мы забыли выключить на ночь свет в машине и утром, ясное дело, не смогли ее завести из-за разрядившегося аккумулятора. Пока возились с машиной, подошел сосед, спросил, что случилось. Подключить кабель, чтобы «прикурить», было невозможно, потому что путь загораживала другая машина. Кабеля у него в машине не было, и он пошел за ним домой. Почему человек так машину поставил? Может, очень поздно вернулся домой вчера? Из окна высунулась женщина: «Ах, это в вашей машине всю ночь горел свет! А я все думала, кто же это свет оставил. Как я рада вас видеть! Машина потому и незнакомая. Когда вы приехали?» Тем временем подошел еще один сосед и еще один.

— Саша, ты не знаешь, чья это машина?

— Конечно знаю, это машина Миши Каца из второго подъезда.

— Марик, не ходи к Мише, это неудобно, ты его разбудишь, он в ночную смену!

— Саша, оставь, надо помочь людям выехать. Кац отгонит машину, ляжет и уснет.

— Гриша уже пошел домой за кабелем, а вот и сонный Кац идет!

— Миша, отгони машину, Гриша, давай кабель, а вас, Лена, давно не видно!

Вокруг нас уже шесть или семь человек, интересно, что все ведь вышли, чтобы сесть в машины и поехать на работу, но вроде никто никуда не спешит, все рады возможности пообщаться друг с другом и с нами. Наконец нас «ставят на зарядку», все облегченно вздыхают, извиняются перед разбуженным Мишей и расходятся по своим машинам. Приключение. Может, так и в Одессе, не знаю, я никогда там не жила... к сожалению, а в Израиле так.

Изделие номер 13

Израиль — место не для слабонервных. Иногда в городе кто-то среди рассказа вставляет: «здесь ударили снаряды», «сюда попала бомба». Вот сколько лет прожила — и все время слашала разговоры про «катюши»... Помните, ракеты такие, которые летели в кино с машин и громили фашистов. На самом деле Север обстреливали, конечно, не только из «катюш», другие орудия тоже были в ходу. Однажды, находясь в доме родителей в городе, который располжен всего в получасе езды от Кирьят-Шмоны и в котором был мир, тишь, гладь и божья благодать, я смотрела по телевизору, как у нас в городе проходила одна из операций, как обычно названная красиво, типа «Гроздья гнева». Из города почти все жители были эвакуированы. Остались только фаталисты, которым лень было уезжать, поскольку они «вычислили», что это через день-два закончится.

Началась программа новостей, и я сразу увидела, как ракета влетела в девятиэтажку, где жила моя ученица, прямо на ее этаж. Я ей тут же позвонила, и она сказала не без гордости: «Катюша» влетела не только на мой этаж, но и в мою квартиру, мою комнату и на мою кровать!» Они были дома вдвоем с бабушкой. В каждой квартире есть специальная комната «бетахон» — с толстыми бетонными стенами и стальными ставнями на окнах, куда полагается зайти в момент обстрела или бомбежки. Только они с бабушкой зашли в эту комнату и закрыли за собой дверь, как в доме грохнула «катюша». Потом делали ремонт обгоревшей комнаты, который, разумеется, финансировался городскими властями.

Если кто-то еще сомневается в целесообразности быть фаталистом в таком городе, то я уж и не знаю, что сказать. Кроме комнат безопасности, есть еще бомбоубежища внизу, под первым этажом, или просто на улице стоят такие маленькие крепкие домики-кубы, где можно укрыться от обстрела. Однажды, гуляя по лесу, я наткнулась на длинную ржавую полую трубу, на которой было написано: «Изделие Харьковского завода номер 13». Может быть, это и была она... «катюша», когда-то, в стародавние времена «железного занавеса», проданная арабам? За что боролись — на то и напоролись. А может, и не «катюша», а ржавая деталь какого-нибудь сельскохозяйственного агрегата периода становления первых кибуцев.

Армия

Солдаты и солдатки — это, в общем-то, дети восемнадцати лет, только что окончившие школу. Они все в определенной степени выбирают, кем служить. Профилирование начинается с первого визита в военкомат в 16 лет. Потом следуют медкомиссия и два теста. Очень большое значение имеют школьные оценки в багрутах (аттестатах о 12-летнем образовании). По результатам тестов им в дальнейшем предложат на выбор несколько армейских специальностей. Дальше уже все зависит от того, что выбрано. Иногда дети проходят еще несколько проверок, пока им точно не утвердят специальность. Но, в принципе, даже после призыва и учебы по профилю еще есть возможность поменять специализацию.

Сложнее дела обстоят с вопросом, где служить географически, тут гибкости нет никакой: куда надо, туда и пойдешь. Разнополые дети в семье или нет — раньше играло роль, а теперь это ни на что не влияет. Только если ребенок единственный или кто-то из старших погиб, тогда есть возможность выбрать место службы.

Для службы в боевых частях необходимо письменное разрешение родителей. Мальчишкам же, как известно, всегда хочется на войну. Иногда ребенок устраивает такие сцены родным и близким, провоцирует такие конфликты, чтобы его отпустили, что родители подписывают такое разрешение.

Девочки служат 2 года, плюс-минус пару месяцев, зависит от рода службы.

Мальчики служат не меньше двух лет. Они тоже нередко приобретают в армии специальности, которые потом становятся их профессиями. Это не обязательно интеллектуально-компьютерные или чисто военные специальности. Один мой знакомый стал в армии поваром, поскольку еще до начала службы закончил курс «Искусство кулинарии», диплом только получить не успел и пошел служить. Кормят солдат хорошо, готовят творчески. В результате он стал отменным поваром, постоянно сдает экзамены на очередную поварскую категорию, съездил поучиться европейской кухне в Данию и сейчас руководит рестораном в пятизвездочном отеле.

Израильская армия не зря называется армией обороны. Интифада, настоящие войны, которые происходят время от времени, заставляют держать армию в боевой готовности. Солдаты проходят сержантскую учебу. Человек, не прошедший армию, странен. Призывники не стараются увильнуть от армии. Во всяком случае, я никогда об этом не слышала. Освобождение по причине плоскостопия или других смешных отклонений в расчет не принимаются. Только очень серьезные заболевания позволяют не идти в армию, например диабет или инвалидность. Если со здоровьем не совсем все в порядке — подберут такую часть, где человек сможет служить. Одному моему знакомому после серьезной операции на грудной клетке определили место при штабе, он там служит в офисе, печатает документы, приносит офицерам кофе во время заседаний, но он в армии и очень радуется этому — он и мысли не допускал, что не будет служить.

Есть израильтяне, пользующиеся отсрочкой, пока они учатся в религиозных школах (ишивах), — это религиозные евреи, которые учатся до бесконечности, постоянно продлевая срок своей учебы. Они не служат. Они молятся, чем некоторых сильно раздражают. Я думаю, что должен же кто-то молиться. Пусть молятся, если остальным некогда.

Армейские будни — это обычные солдатские занятия: стрельбы, спортивные дела, подтягивания, дисциплина, военная учеба, кроссы, марш-броски. Так каждый день по одиннадцать часов. В каждой части обязательно есть армейский псхолог и социальный работник. Всех солдат отпускают домой минимум два раза в течение двадцати восьми дней, но если психолог решит, что солдату нужно больше дней отдыха и ему пора съездить домой, — отпускают сразу. Многим солдатам дают возможность ездить домой с ночевкой два или три раза в неделю. В общем, казарма — это довольно открытое учреждение.

У солдат есть специальная горячая линия, телефоны есть у каждого служащего, а значит, есть и постоянная связь с домом. Нельзя пользоваться мобильным телефоном только во время учебы и спецопераций. Телефонные компании дают солдатам скидку на пользование мобильной связью. В первые дни службы новобранец получает памятку с телефонами неармейских служб, которые могут ему понадобиться. Конечно же, все солдаты могут пользоваться Интернетом.

Существует специальная военная полиция, которая в основном занимается профилактикой нарушений. Есть и Комитет по солдатским жалобам, который был создан незадолго до начала трагической и жестокой войны Судного дня 1973 года. Работают в комитете адвокаты и заслуженные офицеры. Обращаются туда и сами солдаты, и их родственники, если чем-то недовольны. Срок рассмотрения любой жалобы — две недели. Таковы гражданские права солдат. Принцип «Делай как я» — основа отношений в армии. Командир стреляет, бегает и марширует вместе со своими солдатами.

На еду отведены специальные часы, строем никто в столовую не ходит, а так... идут как на турбазе или в гостинице, помня, что обед с такого-то часа по такой-то. Едят все вместе: и офицеры, и солдаты, и самые крутые военные начальники. Как я уже говорила, все со всеми на «ты». Язык древний, в нем «вы» попросту нет. Еда для солдат и офицеров одна и та же. Армия должна быть сплоченной, поскольку периодически ей приходится противостоять внешнему врагу.

Таких вещей, как дедовщина, в армии Израиля не существует, вернее, был однажды случай, когда старшие солдаты при посвящении новобранцев в солдаты обваляли их в грязи. Части этой больше нет, ее расформировали, а офицеров и тех, кто был виновен в инциденте, отдали под суд. Этот случай потом долго вспоминали.

8. Образование

Детский сад —
багрут — университет

— Почему ты не занимаешься? — спросила я старшую дочь однажды осенним вечером, видя, как она второй день делает себе немыслимой красоты маникюр. Она тогда была на третьем курсе университета Йорк в Торонто.

— А я все знаю, что мы сейчас проходим: я это в Израиле в девятом классе изучала, — ответила она.

Университет Йорк — нормальный, входит в 500 лучших университетов мира, короче — не ПТУ. Однако в Израиле система образования как-то по-другому устроена. Человек, получивший высшее образование в Израиле, особенно в Технионе в Хайфе или Иерусалимском университете, — хороший специалист с хорошим английским, дипломом, который везде котируется, и он нигде не пропадет. Поэтому, если вы собираетесь в Израиле жить долго, поучитесь, не кидайтесь сразу работать, наработаетесь еще. В жизни много всего интересного, и учеба, которая по душе, в том числе. Кстати, извините за грустные мысли, но перед смертью никто не вспоминает, как он работал, перекладывал бумажки в офисе, стоял у станка или прилавка.

Приехав в Израиль как репатриант, вы имеете права три года учиться в высшем учебном заведении бесплатно. Воспользуйтесь этой возможностью, получите первую степень, а заодно и ивритом овладеете. Обычно же народ идет другим путем: сначала учит иврит в ульпане полгода или год, потом начинает работать, а потом понимает, что заветные три года истекли.

Гладко все проходит только у детей. Сначала детский сад, куда надо хотя бы год походить перед школой, чтобы привыкнуть к языку, потом начальная школа, за ней средняя — с шестого по восьмой класс и, наконец, «тихон», высшая школа (имеется в виду школьное образование) — с 9-го по 12-й класс. В конце 12-го класса дети сдают экзамены и получают багрут — вроде как аттестат, но не совсем так. Везде на Западе легче поступить в университет, если есть израильский багрут. Ну а дальше колледжи, школы младших инженеров и университеты, дающие первую степень (бакалавр), вторую (мастер) и третью (кандидат наук). Все-таки евреи выживали среди других народов благодаря образованию, приобретая на этом деле длинные носы и толстые попы... Ну что же делать? За все надо платить. Не нарушайте традицию — поучитесь. А если вы сами учитель и любите свой предмет, возьмите курс для учителей и занимайтесь своим делом. Знания, которые дают многие российские университеты, хорошие, они кормят людей всю жизнь в разных странах, куда бы ни закинула их судьба, а мир, слава богу, стал открытым. Такие курсы есть при разных колледжах во всех частях Израиля, от Беер-Шевы до Тверии и дальше на север. По количеству льгот и разных выплат учителя вне конкуренции.

Кстати, расскажу вам мою историю, относящуюся к этой теме и еще к теме «Не теряйте свой кураж, если он у вас есть». В Израиле есть очень эффективная схема бесплатного высшего образования: это система «АТУДА», которая иногда дает еще и бесплатное проживание, питание, стипендию и многое другое.

И для того, чтобы этим пользоваться, нужно только одно — хорошо учиться! Эта система напрямую связана с армией, которая такую учебу оплачивает, а это значит, что после окончания высшего учебного заведения нужно поработать некоторое время в армейской системе.

Дети

Дети — цветы жизни, кто бы сомневался. Я помню, как удивилась, обнаружив отдельный кабинет — домик для новорожденных детей, где мам учат, как с ними обращаться, ведут карточки о том, как дети развиваются, и делают прививки. Когда у меня родилась младшая дочь, мы пришли туда вместе со старшей, которой было почти пятнадцать лет, и ей было очень интересно. Нас встретила красивая крупная израильтянка Хана, совершенно не удивилась, что у меня такая разница между детьми (в Израиле это нормально: к моей соседке в больнице, где мы вместе рожали, приходили старшие сыновья — солдаты и офицеры, проведать младшего братика, который больше чем на двадцать лет их моложе). Хана взяла маленькую дочку большими надежными руками, привычными уверенными движениями раздела ее, взвесила, оценила, одела, покрутила. Ребенку тоже было интересно. Потом мы довольно долго посещали ее, пока не настало время перейти по наблюдение детского врача. В садик можно начинать ходить с трех лет.

Если вы собираетесь приехать на постоянное место жительство в Израиль с ребенком, помните, что перед школой детям вновь приехавших нужно хотя бы годик походить в детский сад, чтобы привыкнуть к ивриту и нормально чувствовать себя в школе. Обучение проходит под девизом: «Все для детей, все, чтобы им было неутомительно и комфортно, главное — чтобы дитя радовалось, все, чтобы ребенок не переутомился, не устал вообще, не напрягался и чтобы в радость ему было обучение музыкой, например. Ну дети и не напрягаются. Пару раз в неделю веселенькие уроки, небольшие популярные пьесочки... Выучил — хорошо, не выучил — тоже прекрасно. Только не напрягайся. И вдруг появляются прекрасные пианисты и скрипачи. Каким образом?

В детском саду идут занятия спокойно и без напряжения, так же и в школе: сначала в младшей, с 1-го по 5-й класс, потом в средней, с 6-го по 8-й (каждый уровень: младший, средний и старший — в отдельном здании), а вот в старших классах, с 9-го по 12-й, начинается гонка. Дети от неожиданности обалдевают. Они привыкли к праздникам, экскурсиям, а тут вдруг серьезные большие задания, частые тесты, совершенно другой подход. Они по-прежнему наряжаются на Пурим, но работают серьезно — те, кто хочет продолжать учиться дальше в университетах и других учебных заведениях.

В Израиле нет детских домов. Вообще нет. Детей, которые по разным причинам остались без родителей, стали сиротами, мгновенно забирают к себе родственники.

Праздники

В Израиле много разных праздников. Расскажу о некоторых из них.

Пурим — праздник, на который наряжаются почти все, по дорогам едут машины, в которых за рулем сидят зайцы, коты, Красные Шапочки и Карабасы-Барабасы. Придя в банк, телефонную компанию или любой другой офис, не удивляйтесь, если вас будет обслуживать Женщина-кошка в черном костюме или красно-синий Супермен.

Однажды в момент обстрела нашего славного городка фаталистов Кирьят-Шмона я занималась со старшеклассниками в здании ульпана. Был Пурим, старшеклассники не очень были разодеты, но все-таки принцессы, супермены были, один парень нарядился тюбиком зубной пасты. Раздалась сирена, я побежала с детьми в бомбоубежище. Картина была интересная, как я со всеми этими персонажами бежала, особенно нелепо бежал «тюбик». Не знаю, что тогда летело со стороны Ливана, скорее всего «катюши», но железный край крыши ульпана слегка покоробило. Когда по городу стали ездить машины, громко в рупор объявляющие: «Возвращаемся к нормальной жизни!» — мы вернулись в класс.

В наш самый первый Пурим, когда дочка училась во втором классе, я задумалась: где же купить ей костюм и какой костюм лучше выбрать? Посмотрела в справочнике и нашла кибуц, расположенный недалеко от нашего городка, где была мастерская по пошиву детских нарядов на Пурим. Приехала я туда и увидела множество интереснейших костюмов со всеми деталями. Я выбрала платье испанки... Очень красивое, красное с черным, и еще веер и черную кружевную накидку на высокой шапочке на голову. Очень запоминающийся был праздник, осталось много цветных впечатляющих фотографий. Потом мы уже столько усилий в подготовку к этому празднику не вкладывали, на следующий год дочка нарядилась в черный обтягивающий костюм, на лице нарисовали кошачьи усы и купили только шапочку в виде ушей кошки. Получилась маленькая Женщина-кошка из мультика.

Про Пурим, который обычно случается в марте, существует поверье, что в дни этого праздника часто заканчиваются какие-то серьезные проблемы, трагедии и войны. Вот и Сталин неожиданно умер, подготовив в Сибири бараки, куда предполагалось быстро вывезти еврейское население, чтобы окончательно решить этот надоевший всем вопрос.

Песах (еврейская Пасха) — это ежегодный праздник выхода из рабства в Египте. Ну, вы, наверное, в курсе... Это когда Красное море расступилось, наши прошли, и волны снова сомкнулись, страшным образом поглотив преследовавших египтян. Жесть, как принято теперь говорить. Традиция празднования Песаха очень строга: из дома убирается весь хлеб и все, что приготовлено с использованием дрожжей. Получается двухнедельный пост, когда любители хлебобулочных изделий худеют не по-детски. Иногда на улице в кострах перед празником сжигают оставшиеся в доме батоны и булки, чем вызывают негодование недавно прибывших русских людей, которые выросли с мыслью, что хлеб нельзя выкидывать. Действительно, к этой традиции не сразу привыкаешь.

Потом делают «седер» (порядок) — праздничное застолье, которое устраивают в первый и второй день Песаха и во время которого все

165

идет в определенном порядке: читают выдержки из Торы (то есть Библии на языке оригинала), вспоминают, как выходили из Египта, в ортодоксальных семьях младший сын задает отцу вопросы, и отец на них отвечает, при этом все заранее знают, что сын должен спросить и что ответит отец. На столе обязательно должны быть крутые яйца, горькая зелень, жареная курица, вино и т. д. Ну и как же без фаршированной рыбы (гефилте фиш)?

Соблюдаются не только еврейские, но и мусульманские праздники той частью населения, которая их традиционно соблюдает, то есть арабами и друзами. Например, все знают, что в традиционный месяц мусульманского праздника Рамадан арабы и работают в особенном режиме, и учатся, и не едят весь день, ожидая появления на небе первой звезды по вечерам, и только тогда приступают к трапезе. Это вообще традиционное время мира и тишины.

Что уж говорить о христианских праздниках, отметить которые приезжают сюда люди со свех концов земли! Крестный ход на Пасху проходит грандиозно и транслируется по всем телевизионным каналам и Интернету. Громадная толпа верующих собирается посмотреть на Благодатный огонь около Храма Гроба Господня.

Рождество и Новый год тоже отмечаются, в результате чего многие русские евреи и русские просто — все, кто из бывшего Советского Союза, отмечают Новый год дважды в году: 31 декабря и в начале сентября, когда празднуется еврейский новый год — Рош-ашана.

Вообще в Израиле много праздников и важных дат — и религиозных, и светских, таких как День независимости, День катастрофы и многие другие.

Культуры сближаются. В начале девяностых было проблемой нарядить елку на Новый год. Игрушки привозили и присылали из России. А наш человек без новогодней елки, да еще на чужбине, где Новый год отметить можно на зеленой траве, на лужайке с подснежниками и фрезиями, как вообще должен себя чувствовать? В доме должна быть елка и новогодний стол с салатом «оливье»! Теперь кругом продаются и елки, и игрушки, и Деды Морозы со Снегурочками всех размеров, чтобы поставить под эти елки и завалить подарками.

Школьный аттестат

В старших классах дети выбирают себе направление, по которому собираются работать в будущем. Гонка нарастает с 10-го класса.

У моей старшей дочки точное решение созрело классе в седьмом: биология, точнее —

биотехнология. Ей, видимо, очень хотелось клонировать овечек и собачек. В школе такое направление было, она стала серьезно заниматься биотехнологией и очень увлеклась. Израильская школа дает хорошие знания. Большинство мальчиков выбрали электронику и компьютерные науки, популярным направлением были также иностранные языки. Разумеется, в каждом из классов по выбранной специальности добавляются предметы, связанные с этой специальностью, и на них делается упор. При этом сдать хорошо надо и не столь необходимые в дальнейшем предметы, такие как математика для будущих переводчиков и биологов.

Помню, как негодовала моя дочь, готовясь к тестам, которые устраивала очень требовательная и строгая учительница математики Хана в старших классах. Математика забирала девяносто процентов ее времени и сил, остальные десять подворовывала новорожденная сестра.

Дети идут на багрут, так называется аттестат о среднем образовании, то есть об окончании 12 классов и сдаче всех необходимых экзаменов. Ребенок сам выбирает себе оценку, на которую собирается сдать, вернее, уровень. Так по всем предметам.

Например, если он решил сдать по окончании школы английский на багрут на 5 «ехидот» (единиц), на пятерку проще говоря, то обязан сдать именно так, и программа на пятерку резко отличается от программы на четверку или тройку, как отличаются и учебники, и все учебные материалы. Пятерка — это практически свободное владение устным и письменным языком и огромный словарный запас. Четверка — тоже хороший уровень. Багрут прекрасно знают в университетах мира и понимают, что, если у человека хорошие оценки в этом удостоверении, он легко будет учиться в любом университете.

Замечу, что в Израиле мало разводов. Вы помните, что я приехала в Израиль со старшей дочкой к родителям, разведясь с первым мужем, который остался в Москве. Пока я не вышла замуж в Израиле второй раз, моя старшая дочь была единственным ребенком в классе из неполной семьи. Училась она до восьмого класса в Метуле, где в те годы практически не было русских; там традиционно живут коренные израильтяне, предки которых приехали из Европы, Польши, Литвы, Англии и Америки. Благодаря прекрасной учительнице английского языка, американке по имени Ривка, у дочки уже в детстве был совершенно свободный английский. Ривка придумывала много нового и неожиданного, чтобы вложить детям в голову свой предмет.

Когда мы приехали в Канаду, дочь была в одиннадцатом классе, при оформлении в школу ее попросили сдать экзамен, и результат удивил всех: по математике и английскому ее взяли в двенадцатый класс, а по остальным — в одиннадцатый. Это среди англоязычных детей, которые родились в Канаде и дома говорили только по-английски. Выходит, что они знали английский хуже, чем мой ребенок, проучившийся десять лет в израильской школе. Тут-то мы и вспомнили добрым словом требовательную математичку Хану и изобретательную Ривку. Канадская школа показалась дочери абсолютнейшим санаторием, единственное, что пришлось наверстывать, — литературу. Имеется в виду английская и американская литература, современная и классическая. Здесь пригодилась родная мама, которой было очень интересно писать сочинения по Шекспиру.

Языкознание

«Иврит — русит — англит — аравит» (иврит — русский — английский — арабский) — основные языки, которые в ходу в Израиле. Арабский тоже учат в школе год-два, при желании ученика — более серьезно и по времени дольше. На территории Израиля живет больше миллиона арабов, так что язык бывает нужен. Моя ближайшая подруга много лет преподавала английский в городке, где живут друзы. Будучи очень умной, Лариса выучила там арабский и объяснения вела уже на этом языке, выписывая на доске кренделя арабской вязи. Работала она там долго, лет семь, на радость ученикам, их родителям и Министерству образования Израиля, вернее его Северному отделению, которое радовалось, что должность учителя английского языка занята прочно и текучки кадров в том друзском городке нет. Лариса привыкла к их еде, распорядку жизни, традициям, и сейчас вспоминает этот период как один из самых счастливых в своей жизни.

Второй язык — английский, его в разной степени знают почти все израильтяне. Учат английскому по-другому, не так, как учили в Советской России, где делался упор на грамматику и совершенно не развивалась разговорная речь. В результате человек знал много английских слов, писал сочинения, сдавал экзамены, но не мог спросить у англичанина или американца: «Как пройти в библиотеку?» Здесь все наоборот: сначала учат говорить и понимать, а потом писать и разбираться в тонкостях употребления времен глаголов и пассивного залога. Многие неплохо говорят на французском, это прежде всего евреи из Марокко и других жарких стран, которые когда-то были колониями Франции. Ну а по-русски, как вы уже знаете, говорят почти два миллиона наших людей. Шапками закидаем.

Молодежь

Открыты, общительны, доброжелательны старшеклассники и студенты первых курсов. Как правило, говорят по-английски неплохо, среди них в каждой компании, в каждом классе и группе, безусловно, большой процент русскоговорящих. Они часто переходят на русский или английский, в зависимости от того, кого они в вас «заподозрили». У парней, как правило, сандалии на босу ногу, шорты и футболка, у религиозных на голове микроскопическая кипа — это такая шапочка в форме перевернутого блюдца, символизирующая идею типа: «Здесь, Господи, мой предел, до этой кипы я делаю все, что в моих силах, а дальше — твоя воля», у светских — ничего, хоть и жарко и волосы у большинства черные. Молодые израильтяне не злобны, доброжелательны и выглядят очень самодостаточно.

Многие из них в военной форме, с автоматом на плече в магазине, в автобусе, просто на улице, но это не вызывает у вас раздражения или страха, наоборот, вселяет уверенность в защищенности и порядке. Ночью в переулке или в пустынном месте встретите стайку парней — можете не волноваться, ничего с вами не произойдет, скорее всего, они вас даже не заметят, а может, пошутят или поздороваются.

Другое дело — работающие пацаны, у них шапочка от солнца козырьком назад и джинсы, сползшие разве что не до колена. Это демонстративно должно говорить: «Не подходи, не мешай, не видишь, как тяжело я тружусь, к тому же при такой жаре». Может быть, это мода такая, а может — естественная вентиляция.

Конечно, они отличаются от молодежи других стран. Они в подавляющей массе проходят армию, они говорят, пишут и, естественно, читают на иврите — это их родной язык. Они с детства приближены к богу, читают Библию (Тору) про то, как «вначале было Слово», и молятся на иврите. Даже если семья совершенно светская, где всего лишь уважают традиции, чтут праздники и соблюдают субботу — а это в Израиле делают все, — воспитание все равно формирует человека. Бесконечное чтение и обсуждение религиозных писаний, исторических событий, которые тесно переплетены с религией и легендами, создают особый израильский склад ума, аналитический и изобретательный.

Если учесть, что Израиль занимает первое место в мире по компьютеризации на душу населения, неудивительно, что молодежь свободно плавает в компьютерных науках и электронике. И частично, может быть, это одна из причин хорошего английского, хотя я упоминала, что здесь учат английскому по-другому, не так, как мы привыкли: сначала говорить и понимать, а уже потом читать и писать.

Что вам сказать о девочках или девушках? За исключением религиозных семей, распространен институт «бойфрендов — герлфрендов», то есть, попросту говоря, пары нередко живут в гражданском браке, а потом или женятся, или расходятся, хотя все это и не так разнузданно, как, скажем, в Европе или Штатах. Красавиц много... загорелых, фигуристых, тонких, но иногда и полноватых, но все равно фигуристых. Много волос, ну просто чудовищно много, в основном черных, но попадаются и библейски рыжие, почти всегда кудрявые, буквально шапкой на голове. Молодые девушки-«солдатки» в большинстве своем стройные, опровергающие этот стереотип о какой-то специфической еврейской фигуре.

Разумеется, попадаются и прелестные блондинки. Чего же вы хотите, если почти два миллиона выходцев из России живет в Израиле? Модницы встречаются в районах центра, например, Тель-Авива. Бывает, что вдруг где-нибудь на вечернем рауте вы можете не узнать дневных простушек, преобразившихся в очаровательных светских красавиц.

Есть в Израиле одна местная особенность. Вы едете себе на машине по вечернему городу, вдруг движение перегораживает шлагбаум, и вы должны открыть окна машины и улыбаться наружу, поскольку вы проходите, точнее, проезжаете «фэйс-контроль», то есть проверку, не террорист ли вы. Вам с улицы улыбается строгая милая девушка, и только когда вы проезжаете мимо после ее кивка, видите, что у нее на бедре пистолет в кобуре, а за шлагбаумом стоят ребятки с автоматами. У входа в магазин стоит человек и проверяет сумки на случай, чтобы кто-то оружие не пронес... да и вообще. Да... рая на земле, похоже, не предвидится, а покой и свобода — это то, что нужно постоянно и напряженно защищать.

Молодежь темпераментна, все-таки Восток, но не агрессивна, несмотря на жару и далеко не простые условия существования, а может, именно потому, что знают цену миру, свободе и радости жить здесь и сейчас.

Первый год в Израиле, Тель-Хай колледж

Я знала, что в десяти минутах езды на север от Кирьят-Шмоны есть Тель-Хай колледж. Через неделю после приезда я решила устроиться на работу и пошла в Тель-Хай, расположенный на горе среди пушистых сосен в невысоких учебных корпусах, которые лесенками бегут в гору выше и выше в зелени фруктовых деревьев и вьюнов, струящихся по стенам. Спросила по-английски, где директор, и пошла прямо к нему в кабинет, улыбнувшись секретаршам и другим женщинам — офисным работникам, которые на меня не обратили внимания. Мужчина лет пятидесяти глянул на меня с интересом и спросил, по какому делу я к нему пришла. Я сказала, что могу преподавать английский, лучше всего русскоязычным, поскольку у меня такое образование, и вообще все, что касается английского, могу объяснить, вдолбить и вообще... Он меня слушал, задавал вопросы и выдал заключение: «Иди домой, сиди круглосуточно и учи иврит. Стыдно! Поздороваться не умеешь, что такое «мехляля» (колледж), не знаешь, что такое «мехина» (подготовительное отделение), не понимаешь, а намереваешься быть преподавателем колледжа в Израиле! Ступай, а резюме оставь, мы с тобой свяжемся, когда решим, что это нужно». Я, устыдившись, оставила ему резюме и пошла домой в полной уверенности, что если меня когда-нибудь и позовут, то только для того, чтобы выдать еще одно «хохаха» (доказательство), что я наглая нахалка, простите за тавтологию. Ровно через полгода мне позвонили из колледжа и пригласили прийти на собеседование. Меня взяли на работу как преподавателя английской грамматики и разговорных конструкций в группе русскоговорящих ученых, а для натаскивания «докторов наук с кандидатами» по части устной речи для них взяли англичанку и американку. Так мы втроем в этом проекте и работали полтора года, о чем воспоминания остались самые лучшие, как и о моем непосредственном начальнике — израильтянине по имени Шауль Вебер и его милейшей секретарше Лиле. За мной приезжала машина, везла на работу, доставляла обратно домой. Если по дороге на работу с человеком что-то случится нехорошее, то фирма, где он работает, потом с ним всю жизнь не расплатится по законам страны, поэтому они меня и возили (себе дешевле). Вот так чудесно сложились первые полтора года моей жизни в Израиле. Тогда я еще не знала, что настанет день, когда мне скажут: «Елена, проект закончен. Спонсор ученых больше не хочет платить за их обучение английскому языку, ты свободна».

Я не предполагала, что через полгода, отчаявшись найти работу по специальности, окажусь работником «Керен Каемет Ле Исраэль» — Службы леса Израиля и меня будет занимать с утра только одна мысль: нужно отхватить хорошую пилу. Так пройдет еще год и четыре месяца. Расскажу позже.

Иврит

Раз уж мы коснулись образования, то нельзя не упомянуть о главном: о языке под названием иврит. На самом деле это чудо: язык, который был мертвым последние две тысячи лет, в Израиле возродили, выучили, научились преподавать, вложили в головы детям, полностью перевели на него все население, для которого он стал живее всех живых и просто родным. Элиэзер Бен-Йегуда был первым, кому пришла мысль, что надо в качестве разговорного языка использовать именно иврит, а не идиш или другие языки, которые были в ходу у евреев. Поэтому он первым и ввел изучение иврита в школах, приехав в Израиль жить в 1881-м. В 1890 году был создан Комитет языка иврит. Бен-Йегуда использовал иврит в быту и придумывал новые слова, обозначающие современные понятия на древнем языке. Эта традиция сохранилась, слова рождаются и сейчас. Бен-Йегуда составил первые тома из 17 «Полного словаря древнего и современного иврита», умер он в 1922 году. Словарь дорабатывали его жена и сын, а окончательно закончили работу над многотомником в 1959 году.

Преподавать иврит, скажу я вам, легко — это такой компьютерный праязык (моя формулировка, не надо ругаться), потому что в нем очень мало исключений. Вспомните английский с его шеренгами неправильных глаголов, бьющих по голове логика, пытающегося их как-то систематизировать или классифицировать. Конечно, делят их по классам и породам, но это совсем не то, что в иврите, где глаголы тоже бывают разные, но на все такое железное правило, такие законы и конструкции, поняв которые, там и учить нечего. Выучи пятьсот корней — и вперед, образовывай от них глаголы, существительные, прилагательные, прошедшее, настоящее и будущее время. Пример: «авода» — «работа», «леавод» — «работать», «овед», «оведет» — «работаю», «овадти» — «я работал» и т. д... еще много вариаций на тему работы. И вот все в таком духе.

Уловив эту систему, я заговорила на иврите примерно через два месяца после приезда в страну. Слов не хватало зверски, но зашла соседка и стала объяснять, что она что-то шьет и ей понадобились нитки. Я поняла, обалдев от неожиданности, и стала с ней обсуждать то, что она шила. Это был, конечно, еще не иврит, он и сейчас у меня несовершенен, и произношение никто, как в инязе, не ставил, но знание этого языка очень обогащает жизнь.

Иврит был мертвым языком последние две тысячи лет, поскольку евреи разошлись по миру и говорили на разных языках, подстраивались, хитрили, богатели все как один немыслимо, прямо как Ротшильд или Тевье Молочник, потихоньку заграбастывали все ведущие должности, создавали свои финансовые империи, отмечали свою Пасху, ели свою курочку, раздражали, морочили нашего брата, вашего брата, их брата, садились на нефтяные трубы, считали фунты, пфенниги и доллары, все считали, пересчитывали — короче, мучились сами и мучили других. И говорили на чужих языках. А свой забыли. Иврит... Потом перешагнули через себя и начали на нем говорить и придумывать новые слова. Я прямо не знаю, хорошо или плохо, что такси во всем мире — такси, а компьютер — он и в Африке компьютер. Только в Израиле «такси» — «монит», а «компьютер» — «махшев». Однако есть один народ, который не переставал говорить на иврите все эти две тысячи лет, вообще никогда не переставал. Это евреи, жившие в Йемене.

Помните, я утверждала, что в Израиле много очень способных отличников и никчемных двоечников? Вот однажды ко мне на частные занятия английским пришел молодой мужчина, лет тридцати, в шлепанцах и шортах, с чистой тетрадкой в руках. Оказалось, что он сотрудник банка «Дисконт», йеменский еврей по имени Сасон. Сказал, что ему для работы нужен английский. Слово за слово, вдруг он мне что-то стал говорить по-русски, правильно грамматически и почти без акцента. Сказать, что я удивилась, — ничего не сказать.

— Откуда ты знаешь русский?

— Выучил.

— Где?

— Сам. Мне для работы нужно, к нам в банк много русских приходит.

— Долго занимался?

— Месяца два.

— Как?

— А вот по этим бумагам.

Он достал из тетрадки тоненькие буклетики с текстами на русском языке типа: «Инструкция по применению вышеизложенного в параграфе восемнадцать, поясняющая, что для своевременного открытия накопительного счета...» Это еще по-человечески, там было хуже. Потом я учила его английскому, мы подружились, и это он рассказал мне, что в Йемене, откуда когда-то приехал его дед с семьей, иврит всегда был в ходу.

Выучите этот чудесный язык — поймете, почему я так говорю. Одна моя знакомая, которая живет в Германии, говорит: «Если я на ночь читаю книгу на немецком языке, у меня утром раскалывается от боли голова и я, ничего толком не соображая, иду преподавать музыку, а если хоть немного почитаю что-то на иврите — голова быстро работает и не болит». Где и как его можно учить, кроме обычных ульпанов, которые есть в каждом городе и в которых студенты из вновь прибывших не переводятся, несмотря на военные разборки, периодические бомбежки, жаркий климат и ветер с пустыни, речь пойдет в отдельной главе.

Философия в ореховом саду

По одним данным, маленький Израиль делится на семь климатических поясов, по другим — на пять. Чтобы не начали меня править — даю оба варианта, хотя надежды, что не найдется знаток, который станет доказывать, что климатических поясов четыре или восемь, нет никакой.

Продвигаемся на север... впрочем, мы уже на севере, в Галилее, но едем дальше. Интересно наблюдать, как меняется ландшафт и цветовая гамма. В районе Мертвого моря и на подъезде к Иерусалиму преобладали желтые, оранжевые краски пустыни... охра, бежевый, к Тель-Авиву окружение стало меняться на зелено-голубое... море, небо... По мере продвижения на север все стало зеленеть, и чем дальше на север, тем гуще и сочнее становилась зелень. Сады фруктовых деревьев сменяли друг друга — белые, розовые, фиолетовые, бордовые.

Ореховые сады стояли высокие и приветливые. В них деревья посажены редко, гулять приятно. Мы решили остановиться в таком саду и перекусить. Боже мой, как хорошо! Почему так мало времени мы проводим просто наслаждаясь природой, которая рядом, вокруг нас, и так прекрасна? Первые годы в Израиле проходили в страшном напряжении. Нужно было работать, учиться — учиться, работать, покупать квартиру, выплачивать... выплачивать. Это был период становления и обустройства нашей жизни в стране. А что, если бы работали поменьше, отдыхали побольше, наслаждались этой красотой вокруг, этими цветами, морем, речкой этой всемирно известной, шириной два метра, а в некоторых местах — и пять метров, под названием Иордан? «По государству и река!» — сказал Михаил Ломоносов про Волгу. В Израиле своя «Волга», которую не разлить по бутылочкам на сувениры. Сколько людей перед отъездом попросили меня привезти воду из Иордана, камешки из Иерусалима...

А если бы тогда, в девяностые, не напрягались так? Ведь все равно все было бы: и работа, и квартира, и учеба детей, и деньги на все, что нужно, и не только. Все равно все было бы так и не иначе, и сейчас пришли бы к тому же самому... ибо судьба, ибо «Элоим Гадоль» (Бог Большой). Ну так хоть сегодня сделаем выводы и будем наслаждаться жизнью. Про «сегодня» хотя бы вспомним потом без сожаления. Вообще, еще раз повторю слова моего дорогого учителя восточной психологии Рами Блекта, «ни один человек не вспоминает перед смертью о том, как он работал», бумажками занимался или даже компьютерные программы писал. В такой миг люди жалеют совсем о другом. Что-то меня занесло. Так, не отвлекаемся, идем — пикник устроим.

Взяли все для пикника, поставили машину на обочине и пошли в тенистый сад с сумкой-холодильником и покрывалом в руках. Сидим на покрывале, беседуем с кибуцником, который проезжал мимо на какой-то электрической штуковине на колесах. Он рассказал о том, что этот сад старый и принадлежит кибуцу, что мы можем там сидеть хоть весь день, если нам так нравится. Кстати, в Израиле есть правило: зашел в сад, например, кибуцный, можешь срывать фрукты с деревьев и есть сколько хочешь, но нельзя уносить с собой. Ну мы это знаем, не первый день в стране.

Тамар и Левиафан — месторождения природного газа, наконец-то!

Парень рассказал все последние израильские новости, первая из которых — найденный на дне Средиземного моря природный газ, что, конечно, событие для страны, в которой отродясь не было никаких природных богатств, не считая гениальных мозгов ее населения. Даже Голда Меир сокрушалась, упрекая Моисея, зачем он сорок лет водил свой народ по пустыне и привел-таки в такое место, где ничего нет: ни нефти, ни урана, ни угля, ни золота, ни хоть руды какой-нибудь или, на худой конец, древесины. А еще «Let my people go!». Впрочем, с древесиной вообще напряженка, практически все леса в Израиле рукотворные, посаженные Службой леса Израиля. Не было их, когда формально образовался Израиль в 1948 году. Галилея была выжжена, кругом болота, тогда начали сажать эвкалипты, которые «пьют» воду как бешеные и вырастают за пять лет как другие породы деревьев — за двадцать. А теперь вот газ нашли в двухсотмильной зоне моря, принадлежащей Израилю. Удивительно. Есть все-таки Бог на свете! Историческое событие — 30 марта 2013 года Израиль начал добывать свой собственный природный газ из глубины Средиземного моря. Теперь у страны есть свое топливо, что, по-моему, очень хорошо. Я совсем не специалист, но, мне кажется, это своего рода независимость. Месторождение газа, которое находится в 90 километрах от Хайфы, назвали женским именем «Тамар», что в переводе значит «финик». Его разработка уже началась, а разработка второго месторождения, «Левиафан», начнется в 2016 году. Последние пару лет с газом были проблемы, поставки периодически прерывались, что потянуло за собой повышение цен на электроэнергию, потому что Израиль традиционно покупал природный газ у Египта, а там мы знаем, что последние два года творится — политическая нестабильность. Теперь, я надеюсь, все будет хорошо, я имею в виду Израиль прежде всего.

9. Въезжаем в Галилею

Назарет

В Израиле живет довольно большое количество арабов-христиан, которых особенно много в Назарете, куда мы планировали заехать, если успеем, где я раньше очень часто бывала, потому что там находится Министерство образования Севера Израиля. По всем вопросам, связанным с преподавательской работой, приходилось ездить сюда, не говоря уже о бесконечных курсах повышения квалификации и самых разнообразных семинарах для преподавателей. Город делится на две части: древнюю, где стоят церкви разных веков, блестят купола храмов и ходят по улицам люди в одежде хирургов, и современную часть под названием Нацрат-Илит, которую облюбовал наш русскоговорящий народ. Нацрат-Илит был основан в 1956 году. Идея состояла в том, чтобы евреи по всей территории Галилеи селились и пускали корни. Только лет через двадцать Нацрат-Илит получил статус города, а когда хлынула в 1990-м и вообще в начале девяностых лавина советских евреев, которым открыл двери Горбачев, вот тут-то и произошло странное явление, объяснения которому у меня нет: арабы из старинного Назарета поднялись в большом количестве и стали переезжать в новый Назарет (Нацрат-Илит). Так они там и осели и живут мирно и душевно бок о бок — русские и арабы. За двадцать лет я не помню ни одного конфликта, который возник бы по вине местных жителей. Однажды были какие-то недоразумения, но их спровоцировали чужие.

В общем, население смешанное. Назарет — это такой Израиль в миниатюре: еврейско-арабский город, он же христианская святыня. Ясное дело: какой христианин не захочет жить в городе, где прожил первые тридцать лет жизни Иисус Христос? Первое впечатление от Назарета — город хирургов, потому что арабы-христиане очень интересно одеты: в длинные плащи или халаты из тонкой натуральной ткани светло-зеленого или серого цвета, ниже колена, такие же штаны и небольшие шапочки. Так одеты мужчины. Они идут горделиво, и полы их халатов развеваются на ветру.

Этот исторический город красиво лежит в долине и на горах, и пока подъезжаешь к нему, конечно, мыслями уходишь в историю и любуешься зеленой Галилеей, которую невозможно не любить. Климат здесь хороший из-за близости гор. Морей рядом нет, а значит, и влажности. Жара с высокой влажностью — это на любителя. В Тель-Авиве в гостинице мы оставили на ночь печенье на столе — утром оно было совершенно не хрустящим, на балкончике купальник за ночь не высох. Но есть любители морского воздуха и влажности, которую он несет.

Вообще есть несколько городов, где климат, на мой вкус, самый лучший и приятный в Израиле: это Иерусалим, Кармиель и Цфат. В Иерусалиме по вечерам даже прохладно... даже в самую лютую жару. Иногда приходится захватывать с собой кофточку с рукавами, если идешь гулять вечером. Кармиельцы всегда говорят: «У нас как в Иерусалиме», или: «Посмотри погоду на завтра в Иерусалиме, у нас будет такая же». Все эти города находятся на высоте, в горах, и моря рядом нет, потому и воздух сухой и прохладный. Конечно, не в дни хамсина, когда жара и ветер с пустыни, мягко говоря, припекает, но ничего, это «всего» пятьдесят дней в году бывает, весной и осенью.

«Хамсин» переводится с арабского как «пятьдесят», на иврите, кстати, — «хамешим».

Мы погуляли по старому Назарету. Из церквей доносились звуки службы на греческом языке. Заехали в новый, полюбовались на более чем оригинальное круглое, спиралями построенное здание городского муниципалитета и на знаменитую шоколадную фабрику Strauss-Elite. Теперь едем дальше на север, в Кармиель, город, тоже любимый нашим народом.

Кармиель

Кармиель — небольшой город на севере Израиля. За последние десять лет он очень изменился, построили много новых зданий и целых районов, трудно было узнать, хотя здесь я и работала в свое время, и часто бывала, потому что в Кармиеле живет мой брат Игорь с семьей. Здесь много выходцев из Англии, даже есть офис Союза Британских Олим, русских тоже полно. Я не знаю другого города в Израиле, где можно просто говорить по-русски на улице, в магазинах, банках, клиниках. Там вообще насчет иврита можно не напрягаться, если работать не собираешься.

Приятный город, приятные жители, красивый новый центр с каньонами и ресторанами, фонарями на каждом шагу и пальмами. Надо сказать, что напротив, если перейти шоссе, ведущее к городу, стоят арабские деревни, как христианские, так и мусульманские. Я не знаю, из каких соображений Игорь повез меня в продуктовый магазин в арабскую деревню: если там и дешевле, то не намного. Он сказал, что там есть продукты, которых нет в еврейском Кармиеле. Мы действительно купили горячие лепешки с запеченным сыром и какими-то травками — специями, названия которых, я, хоть убей, не могу запомнить, но эти лепешки мы на днях ели в Тель-Авиве. Что уж в них такого иностранно-восточного? Наверное, он просто хотел прокатить меня в арабскую деревню. Не видела я арабских деревень! У него на работе коллеги-арабы и коллеги-евреи трудятся все вместе.

Примелькалась людям окружающая их красота. Вид из окна на седьмом этаже в квартире брата — фантастический: какой-то бескрайний, уходящий в пространство зеленый овраг, за оврагом горы. Все это вперемешку с облаками упирается в горизонт. Вроде, в этих краях должны произойти когда-то в далеком будущем последние битвы между добром и злом, в которых добро, само собой, победит.

Игорь рассказал мне, что копать метро в Кармиеле наняли китайцев. Они аккуратные, старательные, спокойно воспринимают откапываемые святыни, педантично отряхивая с них пыль веков кисточками. Израильтяне с такой работой вряд ли справились бы, у них темперамент. Тут присутствует эмоциональный фактор: как можно равнодушнее брать в руки какие-нибудь кувшины времен царя Давида или украшения подружек праматери Леи! Переколотили бы все от избытка чувств. А уж если дело дойдет до свитков с какими-нибудь текстами, которые, как всегда, всю историю человечества так откорректируют, что учебники надо будет переписывать... Ничего еще не пришло из Израиля человечеству, что не переменило бы его взгляд на мир. Все мировые религии имеют непосредственное отношение к этой земле: иудаизм, христианство, ислам. Даже бахайцы, приверженцы совсем еще молодой религии по сравнению с перечисленными, считают Израиль своим главным домом, и храм их с золотым куполом стоит посреди Хайфы и виден чуть не от самого Кипра. Мы в этом храме еще побываем, а сегодня вечером мы съездим в город Акко, что на берегу Средиземного моря, в получасе езды от Кармиеля.

Анкета коровы
и креативный подход

Выезжаем из Кармиеля вечером на закате, едем по спокойной дороге. Местами с обеих сторон горы и холмы, покрытые зеленой травой. По этим холмам мирно ходят, пощипывая травку, коровы. С начала девяностых меня удивляла эта картина. Что за самостоятельные коровы? Почему я никогда не видела в Израиле пастуха? Откуда животные знают, куда идти и когда вернуться домой? Оказалось, что даже шаги их посчитаны благодаря браслету на ноге. У каждой коровы закреплен специальный браслет. Это не украшение и не чип или колокольчик на случай, если корова заблудится. Браслет содержит «паспортные» данные и всю анкету коровы. Наряду с весом, удоем и количеством съеденного подсчитывается, насколько бодро она передвигалась, сколько шагов сделала, что позволяет компьютерной программе сделать выводы о ее здоровье и состоянии.

Сельское хозяйство Израиля — это вообще что-то невероятное. Все, что с ним связано, настолько удивляет, что мы еще не раз в этой книге вернемся к теме сельского хозяйства, в котором, я думаю, Израиль — один из мировых лидеров по придумкам, необычным инновационным технологиям, применению совершенно экзотических методов. Здесь ведь плодородных земель не просто не хватает: их здесь всего два процента. В почве Земли обетованной не только нет ни золота, ни урана, ни алмазов, ни даже каких-нибудь захудалых сланцев, но и сажать на этой земле что-либо проблематично. В Израиле наблюдается явная нехватка плодородных земель. Вы представляете себе, что такое два процента? При этом Израиль умудряется конкурировать на мировом рынке с крупнейшими сельскохозяйственными державами. Страна постоянно ищет новые пути решения. Ученые и изобретатели придумывают новые подходы к земледелию, и в результате получают урожай, прекрасное качество продуктов и прибыль от продажи избытков урожая в другие страны. О каком пастухе речь, если здесь каждая корова «компьютеризирована»?

Работа

При устройстве на работу все имеет значение: возраст, образование, стаж, умения и навыки и, конечно, знание иврита. Говорят, что настоящие евреи иврит вспоминают. Смысл в это высказывание вкладывают кому какой больше нравится. Кто-то понимающе кивает, имея в виду прошлые реинкарнации, кто-то воспламеняется при слове «психогенетика», кто-то скептически морщится и говорит: «Ерунда это все, учить надо». Кстати, говоря о генетической памяти, вспоминаю примеры от противного из моего же ближайшего окружения: две абсолютно русские жены до седьмого колена двух совершенно еврейских мужей намного быстрее своих мужчин освоили иврит, заговорили на нем еще в начале девяностых, устроились на нормальыпс работы и, пока их супруги подвергали с кислой миной на лице философскому анализу и синтезу правильность своего решения приехать в Израиль, сдали на права, сели за руль и, проще говоря, встали на свою ступеньку в жизни. Впрочем, может быть, это относится скорее к характеру, а не к способностям и тем более к генетической памяти. Если бы по Израилю гоняли табуны коней, которых надо на скаку остановить, или горели избы, и вообще если бы были избы, то русские женщины запросто бы все эти проблемы решили.

Итак, чтобы найти работу, у вас должен быть, как ни крути, свой кураж. Ну и, конечно, резюме и все остальное. Достаточно легко найти работу на нижнем уровне в промышленности: это рабочие заводов, техники по сборке электроники, охранники, подсобные рабочие. Много вакансий, судя по самым последним

195

данным, в хай-тек (начинающие компьютерщики): станочники, операторы станков CNC и т. п.

Многим, особенно женщинам, очень нравится работа на дому. Запомните выражение «фронтальный маркетинг» — это для тех, у кого хороший иврит. Одна моя знакомая занимается этим, сидя дома с ребенком, и очень довольна. Это продажи и обслуживание по телефону. Мой брат — компьютерный дизайнер интерьеров и кухонь, говорит, что ему много раз предлагали подобные вакансии. Говорят, сидишь на телефоне 12 часов и отвечаешь на вопросы клиентов типа: «Почему вместо биде мне установили катапульту?»

Возможность быстро найти работу прямо пропорциональна возрасту. В оборону берут молодых, отслуживших в армии. Работников на заводы и фабрики отбирают совсем не как рабов на римском форуме: чтобы молод был и красив, чтобы иврит и английский — оба были родными, чтобы при этом с большим опытом и желательно умел сварить кофе и на дудочке сыграть. Работодатели — люди трезвые.

В отношении научных сотрудников скажу одно — если человек знает и любит свое дело, он рано или поздно будет работать там, где хочет, и заниматься тем, чем занимался на родине, или в «стране исхода», как говорят в Израиле. Я знаю множество случаев, когда люди с неважным ивритом, приехав в страну, быстро устраивались в научные учреждения и университеты, а выучив иврит, давали сто очков вперед своим коллегам — коренным израильтянам. Троюродный брат мужа, химик, кандидат наук, завлабораторией в Петербурге, прелестно работал по специальности с весьма посредственным ивритом, а теперь, выйдя на пенсию, продолжает возглавлять научное сообщество и, в прошлом кандидат в мастера спорта, участвует в шахматных турнирах.

Я уже немного начинала рассказывать об учителях в Израиле, что на самом деле мне ближе всего, поскольку все десять лет жизни в Израиле я преподавала английский. Зарплата школьного учителя, даже начинающего, выше средней израильской зарплаты. Нужно иметь высшее образование и хорошо знать свой предмет, чтобы быть учителем, и, если речь идет о школе, нужно закончить специальный курс; но бывают случаи, когда в старших классах преподают люди просто с российским высшим образованием без израильских курсов. Важно, как расценят диплом и какую присвоят степень. Институты в большинстве своем определяются как первая степень, но не всегда, университеты — вторая степень. Это очень сильно сказывается на зарплате. Мой диплом Московского института иностранных языков им. Мориса Тореза оценили как первую степень. Когда через несколько лет институт переименовали в Московский государственный лингвистический университет, я пыталась поменять и израильскую степень на вторую, но надо было мотаться по инстанциям, собирать бумажки... Это не для меня.

Будьте гибкими, как любят говорить англичане (flexible), — я имею в виду вот что: у меня в окружениии есть инженеры, ставшие в Израиле учителями, как правило, математики, и учителя, ушедшие в программисты. Кстати, о последних: в 2008—2010 годах многих программистов, которые были прекрасно устроены и много зарабатывали, поувольняли из-за настигшего Израиль кризиса. Двое моих знакомых программистов ушли в школу преподавать математику, так там и работают, хотя кризис прошел и специалисты хай-тек, программисты снова нарасхват. Только компания Intel набрала в прошлом году около девятисот новых сотрудников-специалистов.

И еще — очень важно понимать, почему вы хотите жить в конкретном городе, есть ли там то учреждение, которое соответствует вашему профилю. С этим надо определиться заранее и подгадать так, чтобы вы работали там, где наметили. Под работу арендуют или покупают квартиру, если все стабильно. Сами израильтяне, как и западные люди, очень мобильны: где достойную работу нашел, туда и переехал, нашел в другом городе — переехал вместе с семьей. В городе Кирьят-Шмона, где я прожила десять лет, есть институт биотехнологии «Мигаль». Я знакома с несколькими учеными из России, которые знали о нем, еще живя в Москве и Петербурге, и приехали именно в этот город с конкретной целью устроиться в этот институт, что у них прекрасно и получилось.

Если у вас есть идея открыть свой бизнес в Израиле, постарайтесь не быть умнее всех, хотя понимаю, что это непросто: посоветуйтесь сначала с консультантами организации МАТИ — Всеизраильского управления малого и среднего бизнеса. Они объяснят, как построить финансовую часть, почему обязательно нужен бухгалтер, который будет вести ваши дела, расскажут о системе ценообразования и о том, как лучше свой бизнес рекламировать, о правильном маркетинге.

Сегодня в Интернете есть сайты, помогающие найти работу. Израиль вообще очень компьютеризированная страна, и давно. Первый сайт — это «Лишкат таасука». Офисы этой всеизраильской конторы, назовем ее «бюро по трудоустройству», разбросаны в большом количестве по стране и есть во всех городах. В этот офис надо ходить и отмечаться, если вы ищете работу. Все происходит по определенной схеме: подходишь к машине, набираешь номер паспорта и суешь в нее палец, а она тебе отвечает при хорошем раскладе: «Подойди к «пкиде» (сотруднице офиса) или, при плохом: «Работы нет». Никто ни с кем ничего не выясняет. Основной поиск вакансий на сегодня в Интернете осуществляется через следующие сайты:

http://www.gov.il/
http://www.alljobs.co.il/Campaigns/CVCenter/
http://www.jobmaster.co.il/
http://catalog.orbita.co.il/45/
http://israelinfo.ru/

Иммиграция

Израиль — страна репатриантов, то есть иммигрантов-евреев, приехавших, или, как здесь говорят, «поднявшихся», в страну, и их потомков, которые уже родились здесь. По закону о возвращении приехать в Израиль жить и стать его гражданином может каждый, у кого в жилах течет еврейская кровь в третьем поколении, поясняю: если один ваш дедушка был чистокровным евреем или одна бабушка была чистокровной еврейкой, вы имеете право иммигрировать в Израиль, получить паспорт и все права. Жены и мужья евреев тоже имеют такое право.

Евреи приезжают сюда со всего мира. Есть большие семьи, кланы, целые районы, основу которым дали выходцы из какой-то определенной страны. Например, любимый мной город Нагария, о котором я уже рассказывала, был основан немецкими евреями, приехавшими в начале 30-х годов XX века. Это, как я теперь понимаю, имея определенные знания по прикладной психологии, были люди с самой сильной интуицией, которые, пока другие насмехались над пришедшим в 1933 году к власти Гитлером, не принимая его всерьез, собрались и, бросив все, уехали в Палестину, как тогда называлась эта земля.

С тех пор по Нагарии блуждает старый-престарый анекдот. Идут навстречу друг другу два дворника, подметая улицу, поравнялись, улыбнулись друг другу, один говорит: «Гутен морген, герр профессор!» — второй отвечает: «Гутен морген, герр профессор!» Вот такие истории. Ну что же — зато живы остались.

Сейчас заметно небольшое снижение еврейской иммиграции, но совсем небольшое в сравнении с прошлыми годами. По данным на январь 2013 года, еврейская иммиграция в Израиль упала на 2 процента в 2012 году в сравнении с 2011-м. Эта тенденция касается прежде всех наших, репатриантов из бывшего Советского Союза, и переселенцев из Европы.

Информация, приведенная в этой главе, взята из данных JTA (Еврейское агентство) на 21 января 2013 года. Согласно ежегодному анализу, иммиграция в Израиль в целом немного снизилась, но из отдельных стран, наоборот, возросла.

Из Эфиопии наблюдается девятипроцентное падение иммиграции по сравнению с 2011 годом.

Еврейская иммиграция из Северной Америки сократилась, и в прошлом году оттуда сюда приехало на 200 человек меньше, чем в 2011-м.

Иммиграция из Великобритании тем временем выросла на 23 процента за прошлый год.

Если интересно, вот точные цифры: иммиграция из бывшего Советского Союза оставалась стабильной: 7755 вновь прибывших в 2012 году и 7786 — в 2011-м. Еще в середине девяностых бытовало мнение, что все, кто хотели приехать, — приехали, а кто хотел уехать из бывшего СССР — уехал. Оказывается, нет: в Израиль понемногу продолжают переселяться.

Иммиграция из Франции дала 1 процент увеличения в прошлом году, а после событий, связанных с расстрелом детей и учителей в еврейской школе, и вовсе поток хлынул. По анализу специалистов, то, что там сейчас происходит, в 2012 году расценивалось как «взрыв антисемитских инцидентов».

Иммиграция из Италии и с Пиренейского полуострова увеличилась в 2012 году на 50 процентов и 30 процентов соответственно, что меня очень удивило, когда я изучала эту статистику.

Неделя книги

Каждой весной в Израиле проводится Неделя книги, одно из главных событий культурной жизни страны. Этот ежегодный фестиваль проводится одновременно в 50 городах и крупных населенных пунктах с участием около 150 книжных издательств. Это ярмарки, выставки книг, встречи с авторами, распродажи и, конечно, представление новинок книжного рынка. Принимают участие как видные критики и обозреватели, так и писатели, журналисты и, разумеется, читатели.

Опросов и исследований на темы «Лучший автор» и «Лучшая книга» проводится к Неделе книги немало. Известно, что в Израиле ежегодно переводится на иврит около десяти тысяч книг. Книги переводятся и с русского языка — это литература XIX и XX веков, современная русская проза. В Израиле очень любят Михаила Булгакова, Чингиза Айтматова и Венечку Ерофееева, Виктора Пелевина и Бориса Акунина.

Русскоязычным читателям не менее интересны переводы израильской прозы на русский язык, издающиеся как в Израиле, так и в России несколькими сериями, в том числе и в серии «Проза еврейской жизни», рассказы русских писателей, живущих в Израиле, и многие другие.

Среди книг серии самая разная проза: от рассказов до романов, от мировых бестселлеров до малоизвестных сочинений. В нее вошли как оригинальные произведения, написанные по-русски, так и переводы с самых разных языков: иврита, идиша, английского, финского.

В рамках Недели книги проводится множество мероприятий для детей: часы рассказа, встречи с писателями, творческие семинары, представления кукольных театров и театральных трупп. Бывают представлены десятки тысяч наименований книг по сниженным ценам.

Неделя книги проходит во всех крупных городах страны, в поселках Галилеи, где в рамках фестиваля можно бесплатно посетить Открытые музеи в Тель-Хай и в Тефене, а также в Омере около Беэр-Шевы. Первая Неделя книги в Эрец-Исраэль была проведена летом 1926 года на бульваре Ротшильда в Тель-Авиве. Со временем Неделя книга стала центральным событием в культурной жизни всего Израиля.

С 1961 года благодаря инициативе объединения книжных издательств мероприятия Недели книги стали проходить одновременно по всей стране. В последнее десятилетие Неделя книги стала общекультурным мероприятием, для участия в котором привлекаются музыканты, певцы, детские ансамбли, уличные театры, мимы, клоуны. Немаловажен и экономический фактор: в течение Недели книги продается до 33 процентов годового объема книг. Ежегодно в Израиле издается 4200 новых книг.

В число пяти лучших книг прошедших лет вошел первый роман Бориса Зайдмана «Хемингуэй и дождь мертвых птиц», в котором рассказывается о советском детстве, об эмиграции 13-летнего подростка в Израиль 70-х и о трансформации еврейского мальчика Толика Шнайдера в израильтянина Таля Шени. Роман, являющийся попыткой автора вернуться к русским корням, был признан критиками новым словом в израильской литературе. Борис Зайдман родился в Кишиневе в 1963 году. Служил танкистом в Армии обороны Израиля, окончил художественную академию «Бецалель», долгое время работал арт-директором в ведущем рекламном агентстве в Тель-Авиве. В настоящее время Зайдман преподает в колледже.

Акко

В 1994 году в Акко прозаически ремонтировали канализацию и нашли... потрясающий выдолбленный в скале и частично построенный из камней тоннель длиной 350 метров. Об этом тогда писали в газетах. Было очень интересно, и мы поехали посмотреть этот фантастический, наполовину старинный, наполовину современный город на берегу Средиземного моря. Для туристов и местных любознательных тоннель открыли в 1999 году.

Сюда на экскурсию привез меня мой основательный одиннадцатилетний племянник Лева. С ним вообще жизнь стала легче: он всегда знает, как куда проехать, говорит, где повернуть налево, где направо, где сейчас будет «кикар» — островок кругового движения с клумбой в середине. В последние годы в Израиле построили великое множество «кикаров». У Левы всегда есть свой план, о котором он сообщает или не сообщает, но руководит обязательно.

В Акко собрались поехать во второй половине дня, и у Левы по плану после осмотра достопримечательностей было еще посидеть на берегу моря, посмотреть закат и устроить пикник, для которого он запасся йогуртами, фруктами, вафлями и прочими сладостями. Молодец! И покрывало, чтобы сидеть, не забыл. Акко недалеко от Кармиеля, где мы в те дни жили у моего брата.

В Акко впечатляют высоченные стены старой части города. Это порт, город и крепость со славным военным прошлым, когда-то об эти стены основательно поломался гонор самого Наполеона. Система стен окружает город. Она строилась примерно в течение пятидесяти лет, начиная с конца XVIII века. Самая первая стена, которую тогда построили, была высотой около 13 метров и шириной примерно метр, что на самом деле считалось очень тонкой стенкой. Потом строили стены вокруг Акко пошире и повыше. Они и сейчас стоят и придают городу совершенно неповторимый вид.

Примерно тысячу лет назад, во времена крестоносцев, Акко стал популярным портом, стоявшим на пересечении торговых путей. В городе возникло несколько знаменитых базаров, изначально предназначенных для иноземных купцов, особенно те базары, которые построили прямо на территории порта. В те века, когда здесь было турецкое правление, открыли еще много рынков, вернее, восточных базаров в этом замечательном городе. Самые известные из них — это турецкий базар и базар Аль-Авиад (белый базар).

Издалека видна высокая мечеть — это одна из самых крупных и красивых мечетей в Израиле.

Монастырь госпитальеров — это и монастырь, и крепость одновременно. Он построен так, что представляет собой здание, окруженное стенами со всех четырех сторон, а в середине у него — внутренний двор. Северная часть крепости защищала главные ворота города. Внутри там и сейчас есть девять залов, похожих на коридоры, поскольку они довольно узкие, один из которых даже представляет собой помещение с бассейном. Церемонии проводились в восточной части крепости, там и залы красивее, и потолки сводчатые, как и в южной части этого огромного прямоугольного или квадратного монастыря, посещение которого производит странное впечатление: что бы ни случилось, эта крепость так и будет стоять и защищать город. Южные залы были художественно оформлены, там были и колонны, и опять же куполообразные потолки, а западная сторона крепости была попроще, потому что предназначалась в качестве общежития для солдат. Какое это грандиозное здание, вы поймете, если я скажу, что высота потолков в нем около сорока метров. Достраивалась крепость в разные века: возводились новые стены, укреплялись старые. Внизу был подземный район госпитальеров. Окончательно достроили крепость в 1801 году, что было очень кстати, поскольку вы помните, что Наполеон как раз в те времена и развил свою бурную деятельность. Здесь он тоже побывал.

Сегодняшние стены Акко сохранились с тех пор, хотя в бойницах уже нет пушек, направленных на море, откуда мог приплыть кто угодно с какой угодно целью, да и сами стены были немного разрушены во времена турецкого владычества. А тогда, в начале XIX века, еще и девять новых башен было построено, и ров около крепости был прорыт по всем правилам. Осаду Наполеона с честью выдержал город-крепость Акко. Ничего не добившись, Наполеон отплыл от этого берега. Предварительно по его приказу французская армия разрушила фундаментальный и построенный на века городской водопровод, видимо, Бонапарт был очень зол на защитников крепости. Впрочем, вскоре был построен второй водопровод, которым пользовались очень долго и остатки которого существуют и сегодня, их можно видеть, когда едешь по шоссе из славного белого города Нагария в чудесный боевой город-защитник Акко.

В старом Акко есть настоящая турецкая баня. Это очень красивое строение времен Османской империи. Много старинных домов, вообще это восточный город со своей неповторимой историей, славной и военной. Старый водопровод «Акведук» впечатляет своими арками. А вот от крепости тамплиеров остались сегодня лишь развалины.

Еще в Акко есть бахайские сады. Позже мы поговорим о них подробно, когда приедем в Хайфу на обратном пути в аэропорт Бен-Гурион, но и сейчас немного затронем эту тему, поскольку и в Акко они есть. Это роскошные, вычищенные до блеска сады, где каждый цветочек полит и прополот, где все растения подобраны по цвету, высоте и пышности и все переливается красным, розовым, фиолетовым и зеленым. Парк находится в двух километрах к северу от Акко.

Близился закат, и мы поспешили в Рош-Аникра, на полудикий пляж, растянувшийся вдоль Средиземного моря, где уже видели однажды сторожевой кораблик, чтобы снова посмотреть, как медленно падает в море солнце, и попробовать израильские вкусности, которые Лева приготовил для пикника.

Тверия

В размышлениях о переселении людей на планете мы и не заметили, как стал изменяться ландшафт, ехали по равнинам и горкам, похожим на мягкий серпантин, притягиваемые блестевшим внизу озером. Это озеро Кинерет, а город на озере — Тверия. Ну, здравствуй, моя любимая Тверия, моя любимая духовка.

Жарко здесь, очень жарко. Не так, конечно, как в Эйлате на Красном море, где лысый человек спокойно загорает через тканевую кепку, но подгореть можно очень быстро даже сейчас, в апреле. Озеро и город, если смотреть на них из космоса, выглядят как черная дыра, потому что Кинерет тоже находится ниже уровня моря, хоть и не так, как Мертвое море. Не знаю, почему здесь климат другой, может быть, оттого, что другой климатический пояс. На Мертвом море, как я уже писала, намного мягче погода.

На берегу с одной стороны стоит храм с розовыми куполами. Здесь находится Капернаум («Кфар Нахум» — деревня Наума). Сейчас это действительно маленькая деревня, а во времена Иисуса... помнит, наверное, кто читал: «О Капернаум! Вознесся ты...» Храм стоит на берегу. Многие годы его охранял, приводил в порядок гостиницу для поломников и ухаживал за большим садом вокруг церкви всего один человек, греческий монах Иринарх. Однажды, когда он был еще студентом семинарии в Греции, ему пришло (как я понимаю, свыше) повеление ехать в Израиль и охранять этот храм, что он без промедления и сделал. Совсем молодым приехал он сюда, на берег Кинерета, и стал заниматься церковью и всем, что вокруг нее, таская сюда на машине воду в канистрах, потому что тогда еще и водопровода здесь не было, и мало кто приезжал. Потом монах приютил нашего русского еврея, который развелся с женой — она его выгнала, и деваться человеку было некуда. Тот обучил Иринарха русскому языку. Это все было в конце 80-х — начале 90-х. Потом к церкви проложили асфальтовую дорогу, из разных стран, и из Израиля в том числе, стали навещать Иринарха люди. Ожила местность. Это немного в стороне от Тверии.

Наверху, высоко на горе, стоит прекрасная церковь Нагорной проповеди, а вокруг нее очень красивый ухоженный сад. Правее начинается сам город императора Тиберия с огромным количеством христианских святынь на пути, включая деревню Магдала, откуда родом была Мария Магдалина. К югу от Тверии находится Ярденит, там Иордан дастаточно широк, и эта точка на карте Израиля традиционно признается христианством всего мира как место, где был крещен Иисус. Ярденит привлекает тысячи верующих со всех концов света, которые счастливы окунуться здесь в воду.

Иудейских святынь здесь не меньше. Тверия усеяна захоронениями еврейских мудрецов, что делает ее одним из святых городов Израиля. Паломники стекаются к могиле рабби Акивы, уникального философа и учителя, чьи мысли и по сей день — бесконечный источник мудрости и любви к ближнему. Его изучают не только в ишивах (религиозных учебных заведениях, где осваивают иудаизм). При жизни много страданий пережил рабби Акива и умер в страшных муках. После смерти он остался одним из самых любимых и почитаемых мудрецов, которого цитируют до сих пор.

Кроме того, в Тверии похоронены рабби Йоханан Бен-Закай, рабби Меир Бааль Анесс, здесь же и могила великого философа и мудреца Маймонида. Многие приходят к его могиле, чтобы помолиться о здоровье своем и близких, о том, чтобы высшие силы послали возлюбленного, о денежных делах и средствах к существованию, просят подарить желанную беременность.

Кинерет привлекает людей на протяжении тысяч лет, ведь это главный источник воды в стране. Все годы в Израиле один и тот же разговор возникает постоянно: понизился уровень воды в Кинерете... плохо, может быть засуха... повысился уровень воды в Кинерете — хорошо.

История поведала о том, что не самый приятный исторический персонаж — Ирод Антипа — основал город, назвав его в честь своего покровителя, римского императора Тиберия. Со второго по десятый век Тверия была крупнейшим еврейским городом Галилеи — северной части Израиля и, само собой, политическим и религиозным центром еврейского народа, а также центром еврейской духовной жизни.

Тверия была постоянно населена, поэтому всевозможные здания и руины разных периодов хорошо сохранились. В Старом городе, построенном во времена крестовых походов и Османской империи, также много интересных исторических памятников, в том числе стоит с XVIII века крепость Эль-Амара, наводят на мысли о времени черные остатки базальтовой стены города.

Есть здесь музей Dona Gracia, рассказывающий историю Грации Наси, которая использовала все свое огромное богатство, чтобы спасти многих еврейских беженцев от испанской инквизиции и построить еврейский город. Музей представляет собой замок, разделенный на залы, передающие историю их хозяйки. Это уникальный опыт, дающий почувствовать чудесную атмосферу эпохи Возрождения, в которой жила благородная Дона Грация. Здесь представлена богатая графика, пейзажи, и даже звуки, кажется, приходят из того далекого времени.

К югу от Старого города, если еще немного проехать вдоль берега озера, находится Хамэй Тверия, куда народ очень любит ездить зимой погреться, летом просто поплавать и полечить кости. В просторечье эти источники называют родоновыми, но, насколько я понимаю, эта вода богата еще многими полезными наполнителями. Здесь есть крытый бассейн, из которого можно летом выйти в открытый, находящийся прямо на берегу озера Кинерет. В общем, это то, что сегодня мы назвали бы словом «спа-центр». Исцеляющие свойства источников были известны еще 2000 лет назад, эти ванны привлекают людей с незапамятных времен. В спа-центре предлагается массаж и всякие уникальные оздоровительные процедуры.

В Хамэй Тверия очень спокойная атмосфера и прекрасный вид на озеро Кинерет. В магазинчике на первом этаже спа-центра я очень дешево купила два израильских купальника, которые не боятся хлорки, не растягиваются и не меняют цвет, хоть вечно в них плавай. Проведя три прекрасных спокойных дня в теплой Тверии, мы направились дальше.

Дальше едем на юг, в сторону Хамат Гадеры, это национальный парк, который включает в себя горячие источники, где вода с запахом сероводорода достигает 60 градусов Цельсия. В этой воде намешано природой примерно 100 минералов с уникальными лечебными свойствами, которые можно найти только здесь. И еще здесь есть рядом зоопарк и крокодилий питомник. Но это уже не Тверия, это сильно в сторону.

Тверия — это синоним отдыха в Израиле. В этом городе проходит много разных фестивалей, по озеру курсируют кораблики с экскурсантами, вдоль берега полно диких пляжей, а также облагороженных — с бассейнами на берегу и аттракционами. Много ресторанов, сидя в которых, любуешься озером, а оно действительно очень красивое; можно отведать разнообразные блюда из кухни всех средиземноморских народов. Кстати, в последний раз мы зашли в первый попавшийся ресторан, где все блюда имели специфический непривычный вкус и специи использовались для нас неведомые. Оказалось — ливанский ресторан.

Этот город дает прекрасные возможности для отдыха, смешивая плавание с природой, историей с современными и древнейшими достопримечательностями. Отдых спокойный, тихий с успехом сменяется здесь активными водными видами спорта, а места паломничества людей разных вероисповеданий соседствуют с уникальными туристическими достопримечательностями.

Расположенная на берегу озера Кинерет, Тверия является самым низким городом Израиля, на 200 метров ниже уровня моря, и это привлекает тысячи туристов и путешественников. Приезжайте сюда в гости или насовсем. Это оживленный туристический город, который интересен для людей любого возраста. В городе есть 30 отелей, включая роскошные пятизвездочные и попроще. Большинство отелей расположены на пляже и предлагают посетителям реальные развлечения и отдых. Людям нравятся широкие газоны, аквапарки для всей семьи, рестораны и кафе. Есть здесь кое-что и для тех, кто любит экстремальные водные виды спорта. Интересный город, может быть, я слишком много о нем написала, но это потому, что я его хорошо знаю, училась здесь целый год.

Тверия начинается у берегов озера Кинерет, которое почему-то почти каждый день в районе трех часов дня начинает слегка штормить, словно демонстрируя пенистыми волнами, что никакое оно не озеро, а настоящее море. Отели, высотные здания, офисы стоят на прибрежных улицах, а жилые постройки, многоэтажки и маленькие домики ярусами поднимаются все выше в гору, и я не знаю, где в Тверии жарче —

на берегу или на самой вершине горы, по-моему, пекло везде, особенно летом, но и весной и осенью в хамсин весело. Мнения моих приятелей, которые живут и близко к озеру, и на вершине горы, разделяются по этому вопросу, а где мнения разошлись, там начинается бесконечный темпераментный спор.

Долина Хула

Долина Хула рядом с нашим городком интересна тем, что ее облюбовали сотни разных птиц. Однажы я была там в феврале 1994 года, когда еще холодно. Я шла в пуховике и смотрела на темно-коричневую землю распаханного поля. Вдруг на это поле с шумом села громадная стая белых птиц. Остановившись от неожиданности, я стала смотреть на птиц, которые затихли и в полной тишине стали по-деловому расхаживать по полю, что-то выискивая и к чему-то присматриваясь. Я увидела, что они розово-белые. Это были пеликаны. Чудесные деловитые большие пеликаны. Может, живут здесь, а может, летели куда и присели отдохнуть.

Много удивительного в Верхней Галилее. Птицы поют по утрам, из окна виден Хермон со снежной вершиной. Разные пояса, о которых я уже говорила, разные климатические зоны. В течение одного зимнего или весеннего дня можно покататься на лыжах на Хермоне, а потом сесть в машину, проехать три часа и искупаться в теплом Мертвом море. Там всегда тепло, за редким исключением, и жара не вредная, в смысле солнца, а мягкая, там свой, очень полезный, микроклимат. Астматики вылечиваются просто оттого, что живут там. Кожные заболевания, проблемы с костями тоже проходят на Мертвом море, а названо оно так потому, что нет там ни рыбы, ни водорослей — уж очень много соли, никому это не нравится.

Урожай

Одна моя знакомая съездила в Израиль на неделю в июле, проехала через пустыню Негев из Иерусалима в Эйлат «по холодку» и потом долго у меня допытывалась: «Как же там люди живут, там же все желтое, все выжжено?» Ну ничего не видел человек и берется судить. Для меня Израиль — это прежде всего Галилея, притом Верхняя Галилея, север. Это не потому, что «всяк кулик свое болото хвалит», а потому, что там хорошо, красиво и душевно.

Сказочная, зеленая Галилея, где к каждому деревцу подведен свой фонтанчик.

Здесь выращивают фрукты и овощи, полно мошавов (что-то вроде деревни — поселение обычно со своим избираемым правлением). Насколько вкусные в Израиле овощи, фрукты, орехи, молоко, я оценила только после того, как оказалась в Канаде и Америке. Выращивается все в кибуцах, мошавах, про теплицы в пустыне я вам уже рассказывала. Арабы в своих деревнях тоже собирают урожай. По зеленым горам Галилеи разгуливают коровы, пощипывая травку, все как одна упитанные и, видимо, умные, потому что знают, куда и когда идти. Дело в том, что коровы всегда гуляют одни, и лошади одни, и овечки. Более того, я ни разу не видела работающих в поле людей. Все посадки, поля, фруктовые деревья ухожены, сорняки прополоты или вообще не растут, ни травинки лишней, и при этом ни души. Ну ладно, не будем на этом зацикливаться, может быть, очень рано утром кто-то что-то делает на земле — необходимо, чтобы всегда было всего вдоволь. Израиль не покупает овощи и фрукты за границей и вообще старается всем своим обходиться. Знаете почему? Потому что кибуцы — главные производители сельскохозяйственной продукции, а они убыточные, толку государственной казне от них немного. Значит, надо дать им заработать, продавая свои орехи и яблоки с клубникой.

Помните из детства: «фиги-финики срывали». В Израиле этих финиковых пальм невероятно много, как, впрочем, и многих других фруктовых прелестей. Всего в Израиле произрастает более полумиллиона финиковых пальм, что, конечно, в мировом масштабе меньше процента, но ведь если посмотреть пропорционально насслснию, которое составляет одну тысячную населения планеты, то получается очень неплохо. К тому же элитные сорта финиковых пальм растут только в Израиле, поскольку ведется кропотливая научная селекционная работа. Я, мягко говоря, удивилась, когда узнала, что пальма — это не дерево, а разновидность многолетней травы, и говорить о пальме, что она имеет ствол, листья и ветви, по крайней мере неприлично. Свежий финик портится быстро, зато сушеный может храниться очень долго. Плоды произрастают только на «женских» деревьях, и чтобы опылить этих дам, одно соцветие на которых может быть из сотни цветков (соответственно и гроздь фиников будет увесистей), сажают и мужские деревья, но не часто, одно мужское дерево на 50 деревьев-девиц.

Финиковая пальма — одно из древнейших окультуренных растений на земле, наши предки давно раскусили прелесть ее сладких плодов и их питательность. Опыление пальм осуществляется вручную — срезанные мужские соцветия нежно отряхивают на пышно цветущие женские цветки или подвешивают их подобно игрушкам на новогоднюю елку, и это исключительно в Израиле, потому что только здесь культивируется финиковая пальма. В других странах она обычно растет естественным путем.

Сегодня компьютер определяет, сколько, когда и чем поливать и когда и что с чем опылять, чтобы получить те или иные вкусовые качества плодов. Размножаются наиболеее удачные «особи» посадкой корневища. Произрастает финиковая пальма в пустынных оазисах, так как очень любит жару, не любит дожди и неприхотлива даже к солоноватой воде. Воду она может мощной корневой системой добывать с большой глубины. При размножении семенами получается полная неразбериха в плане плодов потомства, а контролировать строгую селекционную работу невозможно.

Высота пальмы обычно достигает пяти-шести метров, и приносит она ежегодно 14–16 кг плодов в других странах. Израильские пальмы селекционеры сделали невысокими, плоды собирают, стоя на маленьких лесенках. И эта низенькая местная пальмочка, с которой удобно собирать урожай, приносит 140–150 кг фиников в год... Теперь понятно, кому фиги, кому финики. О том, как используются финики в приготовлении различных блюд и какими волшебными, в том числе и целебными, свойствами они обладают, вы узнаете, приехав в эту удивительную страну, где буквально все делается с таким мастерством, что просто диву даешься, и ведь не засекречено.

10. Еда как национальный вид спорта

Гостеприимство по-израильски

Вы заходите к приятелям в гости, это бывает иногда и без звонка, во всяком случае, у нас во время путешествия такое случалось. Едем мимо, вспоминаем, что здесь живет такой-то, телефона под рукой нет, хотя лучше, конечно, позвонить. Являемся без звонка. Никто и никогда не снимает обувь, входя в дом. Если на улице мокро, то гость может попросить что-нибудь протереть обувь, но она, в общем, у всех обычно бывает чистой. Если начнешь снимать туфли, этого вообще никто не поймет. Это касается и обычных светских домов, и домов религиозных евреев. Охи-ахи, приветствия, восторги, разговоры, на стол ставится все, что нужно для того, чтобы «ли штот кафе» (выпить кофе), а заодно и поесть, а можно еще и вина выпить, по части более крепких напитков израильтяне не любители. Что-то ставится в духовку, что-то в микроволновку, по ходу дела из холодильника достается вообще все, что можно съесть, кого-то из членов семьи отправят сорвать что-нибудь с дерева в саду, и начинаются нормальные израильские застольные посиделки. А давайте-ка я вам дам несколько рекомендаций или рецептов из традиционной израильской кухни!

Прими условия игры

С креветками в стране напряженка. Кто страдает по всем этим морепродуктам типа устриц и кальмаров, так популярным на Американском континенте, в Европе и, судя по всему, теперь и в России, тому в Израиле будет непросто. Почти все, что в Израиле едят, то сами и выращивают, и производят. Если быть совсем точной, статистика утверждает, что 95 процентов еды в стране своей, а 5 процентов закупается за границей — ну, например, кофе. При этом в стране по закону, которому уже тысяч несколько лет, существует кашрут — правила, как вообще есть и что с чем смешивать, как обращаться с мясом, как убить животное, чтобы оно не страдало... с молитвой. Все, что продается в больших супермаркетах, да и маленьких обычных израильских магазинах, тест на кашрут прошло. Зато в русских магазинах есть то, что евреи, которые все-таки придерживаются национальных правил, не едят вообще никогда, например свинина или рыба без чешуи.

В религиозных семьях кашрут соблюдается по всем статьям от и до, в обычных — постольку поскольку, но большинство израильтян, в том числе и русских, соблюдают элементарные правила, одно из которых гласит, что нельзя смешивать мясное и молочное. Ну не станет израильтянин, пусть даже самый светский, есть бурерброд с котлетой и запивать молоком. И я не стану. Уж очень привилось это за годы жизни в Израиле. Я помню, как мой начальник однажды встретил меня, размахивая газетой в сильном возбуждении. «Вот вы, русские, недооцениваете кашрут, сомневаетесь во всем, а здесь результат научных экспериментов, показавших четко, что смешивание мясных и молочных продуктов во время еды плохо влияет на мозг. В Торе все правильно! Все правильно!» — «Ой, ну, — говорю, — Дани, не знаю прямо, что и сказать». А вообще в Израиле очень вкусно готовят и очень любят поесть.

Национальный вид спорта — еда. С остальными видами спорта в стране не бог весть как хорошо, это надо честно признать, хотя спортсмены стараются и часто получается довольно неплохо. Выбор в продовольственных магазинах огромный. О молочных продуктах я вам уже рассказывала, про овощи-фрукты пойдет речь дальше. Мясо (говядина, баранина, курятина, индюшатина) всегда проходит специальную обработку по правилам кашрута, а значит, как и в древности, из него убирается вся кровь и т.д.

Один мой родственник много лет работает в ресторанах Израиля, будучи поваром. В начале своей карьеры он с раздражением рассказывал о роли в ресторане страшного человека, должность которого зовется «машгиах» — представитель религиозного ведомства, который есть в каждом ресторане. Потом наш повар привык к машгиаху и даже подружился с ним, называя его, «по ошибке» вроде как, «Машиах» (Мессия). Роль его в том, чтобы, придя в начале рабочего дня, заставить работников ресторана долго мыть, чтобы он видел, свои рабочие места, даже совершенно чистые, а потом следить, чтобы готовили по правилам. На всех фабриках, связанных с приготовлением еды, тоже без таких проверок не обходится. Ну вот, такая страна, такие правила, никуда не денешься. Приехал сюда жить — привыкай, приехал в гости — потерпи, если что-то не нравится. В чужой монастырь со своим уставом не ходят.

Это касается не только еды, а вообще всего уклада жизни. Многое кажется нашему человеку, приехавшему жить в Израиль, странным, непривычным, а то и вовсе диким. В субботу наш знакомый ехал в гости на машине, а поселился он в таком районе Иерусалима, где живут религиозные евреи. Вдруг резкими шагами вышел на дорогу высокий человек в черном традиционном костюме и шляпе и преградил ему путь, крича, что в субботу нельзя ездить на машине, чтобы он убирался туда, откуда выехал с утра пораньше. Еврей был явно очень зол. Ну так соблюдай традиции, уважай людей, которые живут здесь из поколения в поколение. А если тебе это не нравится — просто не живи в религиозном районе Иерусалима! Только и всего. В других местах на тебя и внимания не обратят.

На период праздника Песах, когда нельзя есть хлеб, печется маца, и народ ею хрустит. На вкус человека несведущего это такое пресное печенье, почти обыкновенный крекер. Один мой пожилой родственник ужаснулся, увидев, что сжигают хлеб. Это напомнило ему, как в бывшем СССР бывали случаи, когда собраная пшеница свозилась на центральные площади местных городов, рапортовалось, что урожай убран, элеваторы не принимали, не было ни бензина, ни машин. Через некоторое время зерно начинало «гореть», и его как негодное к употреблению списывали, свозили на местные ликероводочные заводы и перегоняли в водку, к огромной радости населения, которое ее выпивало, а на вырученные деньги платили зарплату учителям, врачам и милиции. Ну это так, к слову о традициях.

Израиль — особая страна, необычная земля, воздух, свои тысячелетние традиции, которыми этот воздух пропитан. Весь его дух, стиль, закон очень быстро проникают в саму суть человека, в его душу и подсознание... иначе я не знаю, как объяснить... можст, только взыгравшей генетической памятью предков, установившей в разуме свой закон... Не знаю, как объяснить, что я ни за что не буду работать даже за тройную зарплату в Судный день (Йом Кипур), не буду есть и пить до вечера. Потому что такой закон, такое правило, оно сидит в голове, и знаешь, что нарушить его — это накликать беду не только на себя; помните, как объяснял в начале книги религиозный Бэрри: Всевышний воспринимает Израиль со всеми его людьми как единое тело. Потому и развернул нашего знакомого тот «мужик в пиджаке» и шляпе, мол, не езди на машине в субботу, не накликивай беду на всех. Я, конечно, далеко не так религиозна, совсем, можно сказать, не очень, но один-то день в году, да и то не весь, неужели нельзя не работать, не суетиться, а просто посмотреть на свою жизнь со стороны, подумать о ней отстраненно, оценить трезво — куда бежим и зачем? Для этого и предназначен

Судный день, когда, по иудейским понятиям, наверху Он оценивает прожитый тобою год и пишет свеженькую программу для тебя на новый год. Вот такое программирование.

А в первый год пребывания в стране я пошла в этот день развешивать объявления о каком-то концерте, о чем меня попросили на работе, хотя могла сделать это и в другой день. Решила: что время терять? Из окна высунулась русская женщина (совершенно русская, из Перми), которая уже лет пять жила в Израиле, мама моего ученика, и поинтересовалась, что это я делаю. Я объяснила. Она спросила, недоумевая: «А почему вы решили расклеивать эти объявления в Йом Кипур?» Я спросила: «А почему бы и нет?» Мы смотрели друг на друга, как люди с разных планет, и не понимали. Потом до меня дошло, что я делаю то, что нельзя сегодня делать в Израиле, и пошла домой. С тех пор я поняла, что в чужой монастырь со своим уставом не ходят. Даже если это и не устав вовсе, а так, набор кое-как выполняемых правил.

Все нормально, все идет по плану, написанному наверху: Израиль обрусел не только с точки зрения языка. Не хочешь соблюдать кашрут, не можешь жить без свиной ветчины и буженины — да ради бога! Кругом полно русских магазинов, где этого всего завались, и качество прекрасное, вот только в религиозном районе Иерусалима ты такой магазин не найдешь. Ну так и не живи там.

Прими условия игры. Невелико дело. А принял условия — живи нормально, сразу станет все легко и понятно, и жить будет легче. Не давайте, родители, ребенку в школу бутерброд со сливочным маслом и свининой. Одноклассники не поймут, будут удивляться и косо смотреть. Оно вам надо?

Национальная кухня Израиля

Что такое национальная еврейская кухня? Сложный вопрос. Точно знаю, что еврейское народное изобретение — это лапша. Не спорьте, знаю точно из надежного источника. Вы, наверное, подумали: пожалуй, еще котлетки... Нет! Котлеты придумали египтяне, впрочем, как, верояно, и мясорубку, хотя папирусы про мясорубку умалчивают. Израильская кухня — это все то, что полюбили готовить и есть евреи, живя веками в разных странах и на разных континентах. Поэтому расскажу о самом популярном.

Сефарды — это те, кто жил в Испании, южных и восточных странах, благодаря им национальным блюдом стал, например, кускус — довольно вкусная штука, напоминающая наше пшено, хотя это как приготовить, туда идут травки, специи и т. д. Некоторым нравится сефардское блюдо «мафрум» из фаршированной мясом картошки. Получается красиво, но трудоемко.

Помню, как в 1990 году во время командировки в Англию, где я работала от нашего института переводчиком с биологами, мы впервые купили авокадо. Это была командировка из Москвы. Выбрали самое большое, зеленое и твердое, а потом умоляли друг друга эту штуку попробовать, с великим трудом отпилив от нее кусочек. Никто не решался вкусить экзотический плод первым. Года два в Израиле я так и думала, что авокадо — это что-то каменное и вообще на любителя, пока не пришел ко мне учиться человек из кибуца Маян-Барух и не принес сумку, полную авокадо, которое растет на дереве как груша, а воспринимается как овощ, будучи на самом деле стопроцентным фруктом. Он и научил меня выбирать авокадо помягче, а потом есть, разрезав пополам и полив соком лимона или просто посолив слегка. Вкуснейшая и полезнейшая еда — авокадо с хлебом. Особенно полезно авокадо для женщин, оно и по форме точно повторяет матку, эта форма, видимо, подсказка свыше. Из него делают много разных салатов.

Фаршированая рыба («гефилте фиш») — это целая философия. Тайн и хитростей здесь больше, чем где бы то ни было. Каждая умелица имеет свой микроскопический секрет, без которого гефилте фиш — совсем не гефилте фиш. Кто-то кладет в кастрюлю трехсантиметровый кусочек шелухи лука, который якобы дает золотистый оттенок, кто-то наливает ложку меда — короче, это очень сложное блюдо, но вкусное немыслимо даже для тех, кто, как и я, не любит рыбу в принципе. На Песах и на другие праздники фаршированная рыба готовится в обязательном порядке, а у хороших хозяев она бывает на столе гораздо чаще. Кто ее придумал — не знаю, но думаю, что не сефарды и не выходцы из Северной Африки, а скорее всего, ашкеназийские евреи, которые жили в странах Западной Европы, России, Украины и Белоруссии.

Самбусак — сефардская придумка, это специальным образом сделанное необычное тесто, которое фаршируют мясом и сыром. В этот фарш опять-таки кладется много разных травок, зелени укропа, кинзы, петрушки и специй. Вообще использование зелени — это особенность израильской кухни. Все это запекается, и получается очень даже ничего, но это сильно восточное блюдо.

Бурекасы. О них нельзя не упомянуть, раз уж завели речь о выпечке. Это такие пирожки из слоеного теста, которые очень здорово вырастают, когда их печешь в духовке, а потом замечательно хрустят и крошками осыпают все окружающее пространство. Начинка бурекасов — это чаще всего картофельное пюре или творог, сладкий или соленый. Их так любят в Израиле, где всегда помнят о том, что «лень — двигатель прогресса», что продают их в любом магазине в готовом замороженном виде, впрочем, как и многое другое, — только открой пачку и положи в духовку. Бурекасы абсолютно близки и понятны обеим этническим группам: и сефардам, и ашкеназам.

Форшмак из селедки. В израильской кухне очень много всего мелко нарезанного, нарубленного, размятого вилкой. Не знаю почему, но 80 процентов салатов выглядят именно так. Очень популярны паштеты и разные форшмаки из мяса и рыбы. Форшмак — это и то, что можно намазать на хлеб, и отдельная закуска, которую можно положить на тарелку с салатом и картофельным пюре. Израильтяне форшмак «уважают». Делают его из спинки селедки без костей, кстати, такое филе продается в магазинах, если кому-то лень почистить селедку и вытащить все до единой косточки. Хорошая же хозяйка сделает это легко. В форшмак кладется селедка, вареные яйца, лук, сливочное масло и яблоко. Пропорции такие:

- филе двух селедок или около 500 граммов;
- два вареных яйца;
- одна луковица;
- одно яблоко;
- 100 граммов сливочного масла.

Все вышеуказанное нарезаете мелкими кусочками и прокручиваете в мясорубке или измельчаете в блендере дважды, добавляете мягкое сливочное масло — и еврейское народное блюдо готово. Правда, потом нужно еще мыть все эти мясорубки и блендеры с комбайнами, которые все равно во веки веков сохранят умопомрачительный запах селедки... По мне, так проще в магазине купить, но эта глава для хороших хозяек.

Баба Гануш — салат из печеного баклажана. Очень популярное блюдо, всегда есть в магазинах и ресторанах. Баклажаны нужно запечь в духовке, потом очистить от кожицы, а мякоть мелко порезать, добавить чеснок и все остальное. Лимонный сок сделает салат более насыщенным. Можно добавить кореандр и другие специи. Итак, для приготовления этого блюда необходимо:

- 2 средних баклажана;
- 4 зубчика чеснока, мелко порезанных (или по вкусу);
- 8 ст. ложек пасты тахини;
- сок 1 лимона и, если есть, — зира (специя);
- соль и оливковое масло.

Братья арабы тоже оказали влияние на кулинарные предпочтения израильтян: все, что любят евреи — выходцы из Ирака и других близлежащих стран, любят и арабы. Израильская кухня наполовину восточная, наполовину западная. Восточная называется словом «мизрахи» (Восточный Израиль), и на нее повлияла арабская культура. На традиционную израильскую кухню повлияли выходцы из разных стран мира: Палестины, Северной Африки, стран Балканского полуострова, Ирака, Северной Америки. Многие блюда стали очень популярными за пределами их национального происхождения. Вот возьмем, к примеру... матбуху; я уверена, что это арабская идея.

Матбуха. Салат, который немного запекается в духовке, буквально несколько минут, и подается в холодном виде. В него идут поджаренные перцы, свежие помидоры ломтиками, чеснок — так, чтобы чувствовался, и оливковое масло. Все это перемешивается и ставится в духовку. Получается вкусно, а главное, быстро.

Фалафель. Невероятно популярные печеные, вернее, обжаренные зеленые шарики, или почти пирожки, слепленные из хумуса и разных травок или других бобовых. Фалафель подают во всех кафе, ресторанах на красивых тарелках с салатами и соусами, ее покупают с лотков на улице, кладут в питы вместе с овощами и кетчупом.

Израильский салат. Самый что ни на есть обыкновенный. В него идут тонко порезаные огурцы, помидоры, репчатый лук, разноцветные перцы, зеленые листья салата, который здесь называется «хаса». Все это поливается оливковым маслом и соком лимона.

Хумус. Без хумуса нельзя открыть ресторан: если его нет в меню, народ этого просто не поймет. Идеальные хозяйки делают его сами, замочив на ночь бобы хумуса, потом сварив их и перемолов в блендере со специальными добавками, специями и маслом. С этим так трудно справиться, нужен опыт и чутье, что я не буду приводить рецепт. Он действительно у одного повара получается вкусным, у другого не очень. Важно также правильно есть хумус, чтобы окружающие поняли, что ты свой человек, а не чужак, который вообще не понимает что к чему и не по делу хватается за нож и вилку. Отламываете (а не отрезаете) кусочек питы рукой и захватываете этим кусочком немного хумуса с тарелки, где он лежит, вернее, по которой размазан кружочком (традиция такая). Можно это делать глубоко задумавшись и даже подперев голову свободной левой... извините, скорее правой рукой, потому что в Израиле половина населения, по моим наблюдениям, — левши.

Петухи Даг аль-а-Дана

Живя в Кирьят-Шмоне на севере Израиля, гуляя по окрестностям, хорошо знакомым и привычным, мы решили заехать в ресторанчик, где много раз бывали и раньше, на берегу речки Дан. Он находится в живописном месте под высокими деревьями, практически в лесу, сквозь который бежит быстрая холодная река. По берегу реки, на которой и стоит ресторан, важно ходят очень гордые собой петухи с пышными оранжево-красными хвостами и хитрые коты, ожидающие, когда повар принесет им свежую рыбу, а может, если повезет, поделится подгоревшим или сломавшимся нестандартом.

Ресторан рыбный, рядом есть магазинчик, где продают свежую, выращиваемую здесь же рыбу. Этот ресторан приятен тем, что сидеть можно на улице под шум речки Дан и пение птиц, а можно и в помещении, глядя в окна на сложные отношения котов и петухов и любуясь зеленым лесом. Еще один большой его плюс — это то, что к каждой порции горячего здесь подается примерно 6 или 8 салатов в маленьких продолговатых салатницах. Поэтому, когда мы заказали две порции печеной рыбы, а ее здесь подают в жареном, запеченном виде и гриль, на столе сначала возникли примерно 12 салатиков, свежайших и очень вкусных. Попробовав половину из них, мы почувствовали, что уже можно было бы и уйти, но нужно ждать, когда принесут горячее. В общем, очень занятный ресторан, куда я вам настоятельно рекомендую зайти, если будете в тех краях. На крайнем севере Израиля, во-первых, природа замечательная, все цветет и все зеленое, никакого песка, как в южной части страны, а во-вторых, много замечательных исторических памятников, заповедников, красот и водопадов: водопад Баньяс, заповедник Даг аль-а-Дан, чуть в стороне — крепость Нимрода и многое другое.

11. Страна изобретателей

Научные открытия последних лет

В Израиле много изобретают. Какие только изобретения не были сделаны в последние годы, как, впрочем, и всегда! Все это внедряется в производство и активно применяется в жизни. Иногда кажется, что ученым просто делать нечего. Такая мысль пришла мне в голову, когда однажды по телевизору показали курицу на шести ногах. Так о ней и забыли, видимо, она отжила свой век где-нибудь в зоопарке, и на этом дело кончилось. Море инноваций пускается в ход ежегодно. И не нужно думать, что это обязательно пистолет-пулемет «Узи» или пулемет «Изя», к примеру, — совершенно мирные изобретения, не все же Израилю думать о безопасности и защите своих границ день и ночь.

Только в прошлом 2012 году было сделано много открытий в медицине, биотехнологии, электронике и технике. Особенно активно пишут сейчас о достижениях ученых Израиля в медицине, это касается новых способов лечения диабета, болезни Альцгеймера, исследований рака, помощи женщинам в случаях бесплодия. Астма в Израиле лечится сама собой в городе на Мертвом море под названием Арад, там какой то особенный воздух, ради которого люди приезжают туда пожить и полечиться, но и в лечении астмы в прошлом году были сделаны новые открытия, и сам подход к ее лечению изменился.

Я равнодушна к техническим изыскам, ко всем этим айфонам, компьютерам и прочим штукам, которые, подобно черным дырам, затягивают наше время, но все же напомню, что первый мобильный телефон был придуман и сделан в Израиле. Когда в других странах он был еще диковинкой, здесь уже ходили по улице люди, разговаривая непонятно с кем, а вскоре мобильники были уже у всех детей, поскольку больше двадцати лет назад появились семейные тарифные планы, когда к одному телефону, купленному семьей, добавлялись бесплатно столько, сколько еще нужно, чтобы была постоянная связь между всеми членами семьи.

Почитайте о недавнем выпуске беспроводной зарядки Powermat или посмотрите новый фильм «Made in Israel». Там обо всех последних новшествах рассказывается подробно.

Придуман новый вид транспорта, питающийся от солнечных батарей.

Из переработанного картона и пластика стали выпускать велосипеды и инвалидные коляски. Из этого же материала планируется в ближайшем будущем начать делать сиденья для самолетов, говорят, что со временем можно будет сделать и машину.

С ума сойти

Совсем уже с ума сойти — изобрели туалет, которому не нужна вода, он каким-то образом очищает себя сам и питается также от солнечных батарей. Он вообще все время стоит чистый, и отходов в нем не остается, впрочем, как и следов человеческой жизнедеятельности.

В медицине придумали новый тест, который определяет, есть ли раковая опухоль в организме человека, по специальному анализу крови на такой ранней стадии, когда еще сам организм ничего об этом не знает и не успел разнести информацию об онкологии с кровью по всему телу. В таких случаях все можно быстро и успешно вылечить, не дожидаясь, когда онкологическое заболевание распространится по организму.

Насчет измучившего Европу, Австралию и Америку рака молочной железы тоже подумали израильские ученые и создали оригинальный новый прибор, который легко удаляет маленькие опухоли молочной железы, локально охладив и разрушив опухоль. Это такой специальный зонд. Вся процедура занимает десять минут и проходит под местным наркозом. В тот же день женщина уходит домой.

Для людей, страдающих болезнями Паркинсона, Альцгеймера и страшно распространенной сейчас депрессией, а также другими заболеваниями головного мозга, появились новейшие методы компьютерной диагностики. Эта новейшая техника, изобретенная в Израиле, называется BNA (Brain network activation). Человека не запихивают в камеру, где он должен лежать, ожидая неприятностей. Он просто сидит у компьютера и выполняет задания, которые дает ему специальная программа. Когда он выполняет конкретную задачу — активизируются определенные части мозга, и, судя по тому, как они работают, определяется, есть ли у человека заболевание нервной системы или головного мозга. Как просто и как удивительно! Совершенно неожиданный подход. Информация о том, как человек справился с заданиями программы, вводится в компьютер, который обрабатывает данные и выдает диагноз.

Вся процедура занимает не больше тридцати минут. Терапевтическое лечение назначается исходя из сведений, полученных от компьютера.

Капельное орошение

Про капельное орошение я уже писала, но оно производит такое неизгладимое впечатление на многих приезжих даже из очень сильно цивилизованных стран, что, видимо, нужно еще кое-что добавить. Это прогрессивная технология, которая была создана в Израиле не вчера и даже не позавчера, а примерно шестьдесят лет назад. Полвека назад она уже точно вовсю работала. Основной идеей была экономия воды. Воды в стране мало, а поливать растения нужно. Доводил систему до ума израильский инженер Симха Блас; он впервые стал использовать удобрения, которые по шлангу подавались к растениям вместе с водой. Плодоношение и урожаи стали резко увеличиваться. Рост фруктовых деревьев, овощей и фруктов ускорился. Обнаружилось, что если в воду добавлять удобрения, то и воды нужно в два раза меньше.

Особенно удобна эта система, если применять ее на склонах и в районах, где рельеф посадочных площадей не совсем ровный. Урожай увеличился в два раза, методика приобрела большую популярность, разные страны стали покупать технологию и устанавливать оборудование у себя. Мой знакомый, работавший инженером на заводе, производящем эти капельницы для растений, говорил, что они их делают только на экспорт, и покупают установки восемьдесят стран мира. В Израиле их к тому времени уже было полно повсюду. Качество урожая тоже повысилось, особенно винограда и овощных культур.

Точная дозировка поливочной воды способствует тому, что корни растений не страдают, их не заливают больше, чем нужно, и сухости нет, людей нужно все меньше, чтобы обрабатывать посадки, да и обрабатывать там особенно нечего. Плоды растений, растущих на земле, не намокают и не портятся при капельном орошении. Короче говоря, капельное орошение принесло много полезного, но самое главное, что оно снижает расход воды для полива на 80%, а овощей, фруктов и цветов стало намного больше.

Нобелевский лауреат

Как вы понимаете, при такой любви и таких способностях к изобретательству лауреатов всевозможных премий, в том числе и Нобелевской, в Израиле много. Я решила выбрать одного и на его примере просто немного осветить эту тему. Выбрала именно этого ученого, во-первых, потому, что он наш соотечественник, а во-вторых, потому, что он живет и здравствует сейчас и продолжает вовсю работать. Пример характерный и в то же время очень яркий и убедительный. Итак, израильтянин — десятый лауреат Нобелевской премии 2011 года по химии Даниэль Шехтман, профессор Израильского института технологий в Хайфе, получивший награду за открытие квазикристаллов. Это открытие стало новой парадигмой в химии, перевернув традиционные представления о кристаллах. Появление квазикристаллов вызвало не меньший резонанс в мире науки, чем появление теории относительности и квантовой теории.

Даниэль Шехтман родился в Тель-Авиве в 1941 году. Окончив в 1966 году университет в Хайфе, он в 1972-м получил степень доктора наук. Его альма-матер — Израильский технологический институт (Технион в Хайфе), с ним связаны все его научные достижения, несмотря на то, что главное открытие его жизни было сделано за пределами Израиля, в Америке. Сегодня он по-прежнему доктор наук Техниона и профессор Университета штата Айова.

После получения ученой степени Даниэль Шехтман работал в ряде научных заведений

Соединенных Штатов: в Американском университете Джона Хопкинса, Национальном институте стандартов, Исследовательской лаборатории ВВС США, где в 1982 году открыл существование квазикристаллов. Но его открытие фундаментально меняло представление о кристаллах, и официальная наука, имеющая, как известно, инерцию, не могла принять этого; результатом насмешек и иронии по поводу его открытия стало то, что Даниэля Шехтмана попросили, как обычно, покинуть лабораторию, и ему пришлось вернуться в Израиль. Классическая история, мы-то думали, что это только в СССР закостенелые антигенетики мешали развитию истинной науки; оказывается, отторжение — классическая формула, так как принятие новых идей выбивает насиженые стулья из-под лжеавторитетов.

Вернувшись в Технион, Даниэль Шехтман опубликовал полученные в Америке результаты, и почти через 30 лет, в 2011 году, открытие потрясло научный мир и получило заслуженное признание. За это время квазикристаллы стали использоваться уже даже в промышленности, и Нобелевская премия по химии стала символом международного признания выдающегося вклада ученого в современную науку.

В 2004-м Даниэль Шехтман продолжил работу в Америке сотрудничеством с Университетом Айовы, с которым работает и сегодня, как и с Технионом. Научные изыскания в области материаловедения Шехтман сочетает с увлечением ювелирными работами, и среди его клиентов, в частности, король Швеции, заказавший украшение для королевы Сильвии.

Чтобы в общих чертах представить себе, что такое квазикристаллы, вспомним, что в природе кристаллические образования — это геометрически упорядоченные структуры.

Заслуга же Даниэля Шехтмана в том, что ему удалось получить твердые вещества, как раз не имеющие этой упорядоченности, обладающие сверхтвердостью, которые благодаря этому могут быть широко использованы в различных сферах производства — от сверхпрочной стали до покрытия игл, которыми сегодня успешно проводят операции на глазах.

Считалось, что квазикристаллы в природе не существуют и могут быть созданы только искусственно человеком, но в 2009 году в России были обнаружены квазикристаллы, состоящие из трех элементов: меди, железа и алюминия, — природного происхождения.

Даниэль Шехтман много путешествует, читая иногда по две лекции в день в разных университетах мира, очень любит эту свою просветительскую деятельность. По его утверждению, наукой нужно приучать заниматься уже в раннем детском возрасте.

Во время своего визита в Россию он поделился очень интересным начинанием в Израиле. Он один из пионеров нового проекта — обучения первым шагам в науке пяти-шестилеток. При поддержке мэрии Хайфы была организована первая группа. Именно в Хайфе, потому что, по мнению лауреата, здесь выше интерес к науке и общий образовательный фон. Нас с вами давно не удивляет, что великие музыканты учились играть в раннем детстве, великие спортсмены, шахматисты делали первые шаги с ранних лет — поэтому, может, идея «играть» в науку не так уж парадоксальна, тем более что за ней стоит большой авторитет. Идея проекта — развивать с раннего детства аналитический, рациональный подход ребенка к миру окружающих его предметов и явлений, начиная с измерения размеров предметов, их веса, цвета, свойств, сравнения льда с холодной или горячей водой с помощью термометра, хрупкого с прочным. Нагрели льдинку — она превратилась в жидкость, нагрели воду — она испарилась, и затем обратный процесс — это увлекательно, интересно и вполне доступно для малышей. И постепенно, шаг за шагом, открывается, по мнению нашего лауреата, путь в науку, в мир неизведанного. Это первые шаги, но как важно, чтобы они были продуманы, поддержаны и сделаны в правильном направлении!

В конце хочется привести справочные данные, которые ясно дают понять, что Шехтман не случайный лауреат.

• 1986 год — Премия фонда Фриденберга по физике.

• 1988 год — Премия Американского физического общества.

• 1988 год — Премия Ротшильда.

• 1998 год — Государственная премия Израиля по физике.

• 1999 год — Премия Вольфа по физике.

• 2000 год — Премия Григория Аминова.

• 2000 год — Премия ЭМЕТ.

• 2008 год — Премия Европейского общества материаловедения.

• 2011 год — Нобелевская премия по химии.

Биогазовые установки

Не буду утруждать читателя подробными описаниями технологического устройства этой электрической станции, работающей на отходах фермерского хозяйства, проще говоря, на навозе, поскольку и сама не очень в этом компетентна. Что меня поразило, так это сама идея не только избавиться от загрязнения окружающей среды, но и получить из этого выгоду. Надеюсь, вы когда-нибудь проезжали, закрыв нос, особенно в окрестностях птицеферм, и понимаете, какое количество вредных газов и элементов выбрасывается в атмосферу. Использовать энергию этих выбросов в «мирных» целях, то есть перерабатывать их в электроэнергию с коэффициентом полезного действия до 60 процентов — идея интересная. Причем уничтожаются как навоз, так и жидкие отходы, да простит меня читатель за такие подробности. Одна электростанция, как правило, обслуживает несколько хозяйств, которые свозят, не поворачивается даже язык сказать, отходы в одно место, где они перерабатываются в ценное сырье. «Гомогенизация» по-научному, а попросту сбраживание и придание однородности отходам происходит в емкости — реакторе, где они с помощью бактерий доводятся до определенной температуры и поступают в реактор, из которого (сократим подробности) через полтора месяца получается прекрасный компост для удобрений и биогаз, используемый для производства электроэнергии или нагрева воды для отопления.

Биогазовая установка работает на отходах фермерского хозяйства — навозе, растительных и жидких отходах. Навоз с фермы накапливается в специальном сборнике, откуда с помощью помпы загружается в реактор. Если используется одна установка на несколько ферм, то навоз привозится на грузовиках и вместе с растительными остатками складируется в закрытые контейнеры, где они впоследствии дробятся и перемешиваются. Жидкие биоотходы перекачиваются в емкость, где превращаются в однородную массу и доводятся до нужной температуры с помощью охлаждения или подогрева, а затем закачиваются в биогазовую установку. Твердые отходы загружаются в установку с помощью транспортерной ленты или другим доступным способом.

Вы скажете, что это не изобретение Израиля, но именно здесь все это было доведено до практического применения и, как мы уже не раз отмечали, компьютеризировано и отлажено. И опять же отсутствие природных ресурсов, таких как нефть, газ или уголь, отказ от строительства ядерных электростанций заставил израильтян быть рачительными хозяевами и бережно использовать любой шанс, особенно когда это, к тому же, приводит к охране окружающей среды.

Израиль лидирует

Хотелось бы отметить, что Израиль — единственная страна в мире, которая начала двадцать первое тысячелетие постоянно, стабильно растущими площадями зеленых насаждений, что особенно знаменательно, если припомнить, что далеко не везде в Израиле климат и природные условия способствуют этому. Так природа отвечает на огромный труд народа, его любовь и заботу о ней.

Израиль лидирует по количеству ученых и специалистов, занятых в самых разных областях науки и техники, — 145 специалистов на 10 тысяч жителей, что в сравнении с Соединенными Штатами, где этот показатель 85 человек, или Японией — 70, выглядит очень убедительно, и немалую лепту, конечно, внесли иммигранты из бывшего СССР, прибывшие с великолепными знаниями. Наука Израиля имеет великолепно развитую техническую базу и непосредственно связана с производством. При этом нужно помнить, что Израиль занимает первое место в мире по количеству открытых биотехнологических компаний, третье место по количеству рабочих и служащих с высшим образованием — 24%, причем 12% имеют ученые степени. Страна занимает первое место в мире по количеству компьютеров на душу населения. Отсюда становится понятным лидерство Израиля во многих отраслях науки и особенно высоких технологий и ведущее место в мире по числу научных публикаций на душу населения.

Израиль занимает первое место в мире по участию женщин в предпринимательской деятельности и бизнесе и третье по уровню развития предпринимательства.

В Израиле самый высокий уровень жизни на Ближнем Востоке, годовой доход на человека в 2000 году составлял около 18 000 американских долларов на человека, что было выше, чем во многих развитых странах Европы. И это, напомню, при отсутствии природных ископаемых.

В Израиле самый большой в мире процент иммигрантов в соотношении к общей численности населения, которые едут за свободой вероисповедания, демократией и просто высоким качеством жизни. Израиль знаменит самым либерально-демократическим устройством управления, возможностью трудоустройства и открытия бизнеса.

Израиль имеет устойчивую репутацию по капиталовложениям и иностранным инвестициям благодаря многолетней последовательной политике государства в отношении любого бизнеса, не исключая малого и среднего, и занимает второе после США место по финансовым вливаниям в предприятия.

Альтернативная энергетика

Отказавшись от «мирного атома» из-за возможных террористических актов и природных катастроф, Израиль в 60-е годы сделал окончательную ставку на альтернативную энергетику, прежде всего солнечную и ветровую. Сегодня на крышах 80 процентов домов установлены солнечные панели. На базе Университета имени Бен-Гуриона был создан Национальный центр солнечной энергии. Нынешний его директор Давид Файман сконструировал огромную параболическую антенну, с помощью которой на фотоэлектрические панели фокусируется в тысячу раз больше света, чем в обычных установках. Такой коллектор преобразует в электричество более 70 процентов поступающей солнечной энергии, что в 3—5 раз больше существующих норм.

Израильтяне разработали проект, и в конце этого года одна из израильских компаний завершит в Калифорнии, США, строительство мощнейшей солнечной электростанции, которая обеспечит энергией 400 тысяч индивидуальных жилых домов! Разработан новый фотогальванический элемент, который более эффективен, чем кремниевые элементы.

Наиболее очевидный пример использования солнечной энергии в Израиле — это водонагреватели (бойлеры), украшающие крыши домов в любом уголке страны. Типовая установка для бытовых нужд состоит из теплоизолированного водного резервуара емкостью 150 литров и плоской панели солнечной батареи площадью 2 м^2. Среднегодовая эффективность таких систем составляет приблизительно 50%. Практически это означает, что большую часть года владелец установки даром получает горячую воду.

Большие перспективы у ветровых электростанций, уже построены крупные установки мощностью 100 мегаватт, сооружение которых согласовано с орнитологами, чтобы они не мешали полетам птиц.

Есть предложение вмонтировать в асфальт пьезоэлектрические кристаллы, которые при сильном давлении (например, когда проезжает автомобиль) вырабатывают электрический ток.

Американец Йоси Абрамович, житель кибуца Кетура Эд Хофланд и их партнер Давид Розенблат создали первую в Израиле коммерческую солнечную электростанцию, состоящую из 18 тысяч фотоэлектрических элементов, в пустыне Негев, начали работу в июне прошлого года.

Боевая авиация Израиля

Поскольку есть глава с кулинарными рецептами национальной израильской кухни для женщин, то я подумала, что и глава для мужчин с какими-нибудь стрелялками тоже должна быть. Вот немного информации про боевую авиацию. В 70-х годах XX века началось перевооружение Хэйль авир (израильских военно-воздушных сил) на самолеты американского производства. Одновременно израильские фирмы приступили к реализации собственных проектов изготовления боевых машин. И сегодня Израиль входит в число немногих стран, производящих современные истребители, к числу которых относится состоящий на вооружении «Кфир». Но еще до него израильские конструкторы создали истребитель-бомбардировщик «Лавии», поступивший на материально-техническое обеспечение ВВС, штаб которых расположен в Тель-Авиве.

По количеству самолетов и вертолетов Израиль не уступает ведущим странам Европы. Боевых самолетов более 700. Особо пристальное внимание командование уделяет комплектованию и подготовке летного состава.

Израильские пилоты непрерывно совершенствуют свое мастерство. У них самый большой налет в мире, на 30 процентов превосходящий опыт американских пилотов, хотя час полета современного исребителя обходится израильтянам в 17 тысяч долларов. Пилоты обязаны проживать в непосредственной близости от авиабазы, где служат или к которой приписаны по мобплану. В их отношении соблюдается строжайший режим секретности, их запрещено фотографировать, их имена и местожительство составляют государственную тайну. Все мероприятия по подготовке пилотов и забота о них вполне оправданы высочайшим боевым мастерством этих воздушных бойцов, которые заслужили славу лучших в мире.

Разработан противоракетный комплекс (ПРК), получивший наименование «Эрроу». Его создали к 1998 году, провели испытания, и в 2000 году первая батарея была поставлена на боевое дежурство. ПРК «Эрроу» предназначен для перехвата боеголовок оперативно-тактических ракет. Он поражает боеголовки неприятельских ракет и самолеты в радиусе до 75 км.

По оценке военных аналитиков НАТО, боевая авиация, средства ПВО и ПРО Израиля в настоящее время являются самыми современными и наиболее боеспособными в регионе Ближнего и Среднего Востока.

Ядерное оружие Израиля

После потрясшей мир ядерной катастрофы на Чернобыльской АЭС люди осознали, что любой подобный инцидент — не локальный эпизод. Это подтвердила и трагедия на японской атомной электростанции в 2011 году. Появилось понятие ядерной зимы, то есть гибели всего живого на Земле в результате взрыва даже небольшой части имеющегося сегодня ядерного оружия или взрыва, скажем, в результате серьезных природных катастроф нескольких мощных электростанций.

Расхожее мнение гласит: мир должен понять, что попытка полного уничтожения Израиля приведет к гибели всего живого и победителей не будет. Хочу привести лишь некоторые соображения на этот счет, так как я не специалист в этой области, но и остаться сторонним наблюдателем не могу. По оценкам Natural Resource Defence Council, Израиль имеет как минимум 75 зарядов, как максимум — 200. Еще в 1986 году наделали много шума заявления Мордехая Вануну, израильского техника, работавшего в ядерном исследовательском центре в Димоне, о том, что Израиль обладает 200 ядерными боеголовками.

Израильская ядерная программа существует более 20 лет, на протяжении этого времени на заводе в израильской пустыне Негев производятся атомные боеголовки, а в последнее время, это можно констатировать практически с полной определенностью, там приступили к производству термоядерного оружия. К такому выводу пришли журналисты отдела расследований британской газеты Times.

Газета напоминает, что первую утечку информации о наличии у Израиля ядерной программы, чего в Тель-Авиве никогда не подтверждали, но и не опровергали, организовал израильский ядерщик Мордехай Вануну, который позже был обвинен в шпионаже и отбыл длительный срок тюремного заключения.

«Позже эксперты по обе стороны Атлантики подтвердили, что Израиль по ядерной мощи вышел на шестое место после США, СССР (так в тексте — ИФ), Великобритании, Франции и Китая. Его запасы больше, чем у Индии, Пакистана и ЮАР — еще одной страны, у которой предположительно есть атомная бомба», — пишет Times. По данным экспертов-ядерщиков, в Израиле собрано не менее 200 единиц ядерного оружия.

Издание отмечает, что «заводу по производству секретных вооружений уже более 20 лет, он скрыт от шпионских спутников и независимых инспекций в скромном малоиспользуемом здании». По данным Times, «завод оборудован системой выработки плутония по французской технологии, количество плутония, вырабатываемого за год, оценивается в 40 кг, что достаточно для производства 10 атомных бомб». Кроме того, ни для кого не секрет, что Израиль обладает носителями, способными доставить атомные заряды до Парижа, Москвы, Екатеринбурга.

Так что, как я понимаю, весь мир сегодня сидит на одной пороховой бочке, и народ должен быть предельно осторожен, дружелюбен и миролюбив в буквальном смысле как в Европе, так и в Америке, Азии и Китае.

Сельское хозяйство Израиля

Мир сегодня — это не только экономический, но и продовольственный кризис, часто связываемый с экологическими проблемами, с ростом населения и так далее. Одна из версий спасения человечества — это отказ от мясной пищи. Я вас вовсе не призываю быть вегетарианцами, просто есть такое мнение. Для производства одного килограмма мяса требуется как минимум в десять раз больше силоса или злаковых, а значит, решение проблемы возможно. Но оставим эти вегетарианские отступления и вернемся к теме. Израиль, который на карте мира обозначен цифрой, что красноречиво говорит о величине его территории, которая к тому же наполовину занята пустынями и землями, непригодными для сельского хозяйства. Да и климат сухой и жаркий, с температурой, достигающей 50 градусов в тени, песчаные бури, дефицит водных ресурсов. И при всем при этом Израиль не только кормит себя, но и экспортирует 25% продовольствия в развитые страны, а это ни много ни мало 4–5 миллиардов долларов от экспорта в год.

Выращивает эта страна огромное количество разнообразных фруктов и овощей, до 1,5 миллиона тонн в год. Один израильский крестьянин кормит примерно 100 человек, для сравнения: в России это соотношение один к пятнадцати. Все это, конечно, не может не вызывать пристального внимания к практике Израиля и к его «секретам», которыми он щедро делится и один из которых, повторюсь, так прост: это люди Израиля, готовые и умеющие работать. Ведь без труда не вырастишь тонны «органических» овощей и фруктов, и все это экологически чистые продукты: тут и цитрусовые, и экзотические фрукты, виноград и арбузы, гранаты и манго, и по 50 центнеров пшеницы с гектара — вполне достаточно и на мацу, и на булочки с маком.

Развивается животноводство, даже появился сайт «знакомств» для крупного рогатого скота с подробными данными о длине ног и масти, чтобы животные, видите ли, не испытывали стресса при спаривании. И никакой корысти, исключительно для улучшения потомства. Израильская корова дает 15 тысяч литров молока в год, и это мировой рекорд, на минуточку, и не в Голландии. В целом молока Израиль дает полтора миллиарда литров в год, отсюда и изобилие молочных продуктов, вкусных и экологически чистых. Разводят, конечно, и козочек, молоко которых очень схоже с материнским по своим качествам. В войну, как мне рассказывала мама, их высоко ценили и даже держали на балконах.

Разводят и птицу: гусей, уток, страусов, индеек и, конечно, кошерных курочек, несушки которых дают до 300 яиц в год. Недавно прочла, что последние исследования показали: не зря больным детям давали куриный бульончик для восстановления сил, в нем обнаружили свойства, действительно способствующие оздоровлению организма и придающие природных сил для борьбы с вирусами.

Стремительно растет производство рыбы, да иначе не скажешь, когда это 500 килограммов осетра на один кубометр воды, а ведь это факт.

Десятки тысяч километров пластиковых труб, подводящих воду для полива и удобрения к каждому дереву, создают уникальную систему капельного орошения, и всем этим управляют компьютерные системы. Но ведь эти программы и системы надо было придумать, создать и внедрить, а главное — их нужно грамотно эксплуатировать; все это, с одной стороны, как говорится, не от хорошей жизни — надо было строго экономить воду, но, с другой стороны, и результат налицо. О компьютеризированных теплицах с урожаем до 500 тонн с гектара нужно бы отдельную книгу написать.

12. Привыкание к стране

Программа «Кибуц ульпан»

«Ульпан», в переводе «студия», — это первое слово, которое выучивают все приезжающие в Израиль. В ульпанах люди изучают иврит. Впрочем, «изучают» — громко сказано, пытаются его «схватить» — это еще одно очень ходовое слово. Действительно, учиться без базового иврита серьезно не сможешь, на работу не устроишься. Курсы иврита есть практически во всех городах, но сейчас я хочу рассказать вам об одной весьма успешной программе, которой совсем неплохо было бы воспользоваться тем, кто собирается приехать в Израиль. Это программа «Кибуц ульпан», рассчитанная на молодежь, помогающая быстро выучить иврит, потому что там необходимо погрузиться в языковую среду и находиться в ней все время. На иврите приходится говорить во время работы, учебы, еды и отдыха, а заодно получаешь опыт жизни в кибуце.

Программа дает возможность почувствовать уникальный образ жизни в Израиле, ведь такое коммунистическое явление, как кибуц, нигде больше в мире не прижилось так, как прижилось здесь. Во время моей работы в Англии я встречала молодых англичан, которые с гордостью рассказывали, что жили по полгода в Израиле в кибуцах и работали там. Позже в израильских кибуцах я встречала молодых людей из стран Западной Европы, Америки, Австралии и Новой Зеландии. У меня сложилось впечатление, что они считали очень ценным опытом факт работы в кибуце и гордились им.

Для многих такое путешествие заканчивается свадьбой с кем-то из израильских кибуцников или кибуцниц и постепенным врастанием в этот мир, который уже никогда потом не отпускает и держит своей красотой, напряжением, чувством одной дружной семьи. Но это я отвлеклась и рассказала о молодых иностранцах, приезжающих в Израиль поработать в кибуце, а теперь вернемся к программе «Кибуц ульпан», которая расчитана на тех, кто приезжает сюда жить навсегда или на годы.

Эта программа расчитана на пять месяцев. Все это время молодой человек живет в кибуце и общается с окружающими на иврите круглосуточно, выполняя волонтерскую работу, как правило, в течение 24 часов в неделю и участвуя в культурных мероприятиях кибуца, поездках и экскурсиях. Тип работы зависит от потребностей кибуца. Выпускники этого курса потом зачастую поступают в университеты, идут в Армию обороны Израиля или начинают свою собственную карьеру в этой солнечной стране.

Программа начинает работать круглый год, в зависимости от даты начала курсов в ульпанах различных кибуцев. Те, кто решил попробовать программу, проходят интервью, которое проводится обычно в ульпане координатором программы. Вы должны получить письменное разрешение от врача, чтобы участвовать в этой программе, которая на самом деле забирает много сил. Участники должны быть физически и психически подготовлены к жизни в кибуце и иметь желание работать. Эта программа открыта для одиноких людей и для супружеских пар, как правило, без детей. Стоимость программы, по данным на 2012 год, для новых иммигрантов составляет 2000 шекелей (из них 500 шекелей возвращаются). Это включает в себя полный пансион и дополнительные культурные мероприятия. Кому это интересно, посмотрите сайт kibbutzulpan.org.

Эта программа действует на сегодняшний день в 11 кибуцах по всему Израилю, которые отличаются по размеру и находятся в разных районах страны, а значит, могут сильно отличаться по климату. Вот несколь названий кибуцев, где работает программа:

Эйн-Хашофет,

Рамат-Йоханан,

Мишмар,

Мааган,

Шоваль.

Большинство кибуцев предлагают общежитие, а это чаще всего маленькие отдельные домики, где всегда рядом есть бассейн, библиотека и еще всякая всячина: от теннисного корта до художественных мастерских. Проконсультируйтесь с организаторами, если вас программа заинтересовала. Для молодого одинокого человека, по-моему, это очень хороший вариант безболезненного и веселого привыкания к стране.

Программа «Наале»

Что такое программа Na'ale для учеников средней школы в Израиле?

В 90-е годы много детей приезжали по этой программе в Израиль и оставались в стране жить. Потом приезжали их родители, и постепенно вся семья собиралась на Святой земле.

Я учила многих ребят, приехавших по этой программе. Некоторые потом женились или вышли замуж за израильтян, некоторые достигли высокого уровня в образовании, двое моих учеников из Наале поступили в Технион, несколько человек — в Иерусалимский университет.

Это программа средней школы для учеников 9-го и 10-го класса, которые хорошо учатся. Им предлагается продолжить учебу в Израиле. Учеба полностью субсидируется. Программа включает в себя иврит, который изучают дети в ульпане, и все академические дисциплины, которые нужны для окончания школы; внешкольные занятия, полный пансион, а также много других интересных мероприятий, например, экскурсии по стране. Na'ale работает уже много лет и с большим успехом. В ней принимают участие молодые люди из Южной Африки, Южной Америки, России, Украины и со всей Европы. Из-за высокого спроса Na'ale недавно была расширена за счет включения всей Северной Америки (добавили Канаду и США), Великобритании, Австралии и многих других стран!

Программа находится в ведении Министерства иммиграции и абсорбции, а смысл ее в том, чтобы дать интересные и необычные возможности способным подросткам учиться так, чтобы это было для них интересно, получить опыт жизни в Израиле, выучить новый язык и поучаствовать в праздниках, фестивалях, экскурсиях.

В первый год обучения главный упор делается на преподавание иврита. В этом возрасте дети его быстро схватывают, но при этом еще получают дополнительную помощь и перевод на свой родной язык. С ребятами работает команда профессионалов, классный руководитель и консультант. По крайней мере два преподавателя свободно владеют английским языком. Экзамены проводятся на иврите в конце 12-го класса, когда у студентов навыки иврита на самом высоком уровне. Особый акцент делается на подстраивание образовательной программы к наклонностям и талантам каждого участника, с учетом его интересов, особенно если у детей есть способности к математике, физике и компьютерам.

Ученики во время каникул, которых в Израиле немало, могут полететь домой. В период летних каникул (июль и август) можно уехать из страны за границу на все лето. Поддержание постоянных контактов с семьей имеет первостепенное значение для успешного прохождения детьми этой интересной программы. Родители могут приезжать к детям в Израиль, пока они учатся.

Участники программы получают полный пансион, путешествия, деньги на карманные расходы, телефон для общения с родителями за рубежом.

По окончании школы Na'ale студенты могут остаться в Израиле и продолжить обучение в высших учебных заведениях или уехать домой. Гражданство страны, из которой они приехали, у них, разумеется, остается. Я написала об этом, потому что вспомнила, как, приехав в Израиль, не знала ничего. Все узнавалось постепенно в течение десяти лет, и все чаще приходила мысль в голову: эх, знать бы раньше! Может быть, эта информация пригодится кому-нибудь, кто хочет приехать посмотреть Израиль, пожить здесь некоторое время или выучить язык, а может быть, кто-то воспользуется ею, чтобы насовсем остаться в стране, но сделать это грамотно и разумно, чтобы потом не мучиться и себя не ругать.

Рош-Пина

В этих размышления прошел путь из Западной Галилеи в Северную. И вскоре слева на горке появился приятный маленький городок Рош-Пина, который где-то в другой стране и городом бы не считался, а здесь имеет даже свой аэропорт.

Один из старейших мошавов в Израиле, Рош-Пина довольно элегантно выглядит в свои более чем 130 лет. Раньше я часто приезжала сюда с родителями, потому что дом их был между Цфатом и Рош-Пиной, куда было намного легче и быстрее спуститься, чем подниматься по серпантину в Цфат, если нужно было пойти в банк или еще по каким-нибудь делам наведаться в город. Мошав — это поселение типа деревни, но он имеет общее правление. Жители совместно решают важные для всех вопросы, например о строительстве дороги или открытии банка.

Небольшой городок сегодня очень отличается от мошава Рош-Пина, основанного в 1878 году, когда группа ультраортодоксальных евреев поселилась здесь. Они стали фермерами при поддержке, не только моральной, но и финансовой, барона Эдмунда де Ротшильда. Сегодня здесь много модных ресторанов, кафе и высококлассных отелей, основным источником дохода города является туризм.

Городок Рош-Пина расположен на северных склонах восточной горы Ханаан с красивейшим видом на долину Хула, о которой я уже писала (помните пеликанов?), и на Голанские высоты. Старые дома в центре мошава прекрасно сохранились, как и мощеные улочки, ведущие вверх и вниз, в основном, конечно, вверх — Рош-Пина находится на горке. В центре городка стоит дом «должностных лиц», который был построен в 1885 году как административный центр Рош-Пины. Идея его строительства тоже была поддержана бароном Ротшильдом.

Здесь, как в хорошем музее, можно посмотреть аудиовизуальную презентацию об истории городка (мошава), а потом заглянуть в сад барона, находящийся по соседству и созданный для его сотрудников. Этот сад, как утверждается, был создан по образцу садов в Версале.

Кроме того, в центре старой Рош-Пины находится синагога, фундаментальное здание современной еврейской школы и дом доктора Мера (Mer), который исследовал малярию в долине Хула в 1930 году. Тогда это было серьезнейшей проблемой, которую удалось решить. В отдельно стоящем районе находится старое кладбище с могилами основателей мошава, жилых домов поблизости нет, поскольку люди не любят селиться рядом с кладбищами — не только здесь, везде в мире не любят.

В старой части Рош-Пина полно кафе, ресторанов, гостиниц и художественных галерей. Есть также много гостиниц в новой части города, а также бутик-отелей и торговых центров.

Рош-Пина является занимательным местом для туристов, городком многих достопримечательностей. Здесь есть национальный парк, рядом Цфат и Тель-Хацор. Он также является хорошим местом для туристических походов, конных прогулок, велосипедных туров и экскурсий на джипах.

Религия и демократия

«Царица Суббота»... есть такая книга. Пока не поживешь в Израиле, не проникнешься местной идеологией и не поймешь, о чем идет речь. В субботу ведь надо отдыхать, как бы ни завалила тебя гора несделанных дел, невыполненных обязательств, надо бросить все и отдыхать, потому что работа от слова «раб», корень один и тот же, а человек слеплен по образу и подобию Божию и не должен вести себя как заведенная белка в колесе. Всех дел не переделаешь, всех денег не заработаешь. Прекращается суетная жизнь в субботу. В этот день почувствуй себя царственной особой, имеющей полное право сидеть в кресле и размышлять о своей жизни, для чего она дана и не проходит ли она в ненужной суете, когда даже приблизиться невозможно к тому, что на самом деле хотелось создать, что очень хотелось бы понять, прочитать или послушать. Остановись, и суббота подарит тебе откровения и озарения, мудрые подсказки придут наяву или во сне.

У христиан священный день отдыха — воскресенье, у мусульман — пятница, и нет никого, кому предписывала бы его религия пахать не переставая и не говорила бы: «Остановись и оглянись». Здесь прекрасно приживаются, казалось бы, совершенно чужие религии. Израиль своим святым местом считают бахайусы, чьей благородной религии всего-то лет двести. Они всех признают: и Моисея, и Христа, и Будду, и Магомета. Замечательные люди, доброжелательные, сады разводят, в одном мы уже побывали в Акко, но главная их святыня еще впереди. Это Хайфа. Их громадный храм с золотым куполом виден издалека с моря. Когда мы подплывали на корабле, держа путь с Кипра, этот купол был первым, что я увидела вдалеке, и поняла, что Израиль близко. Люди всех религий чувствуют здесь себя нормально. Свобода совести — исповедуй что угодно, только не веди себя агрессивно по отношению к другим. Это демократия.

Но какая бы ни была демократия, ходить в чужой монастырь со своим уставом все-таки не следует. Мой приятель, очень хороший человек, еврей до седьмого колена, приехал в Израиль с милейшей и умнейшей русской до восьмого колена женой и тремя детьми. Выучили они иврит, начали работать по специальности, получили квартиру от «Амидара» и лет семь прожили в городе. Потом мой друг съездил в один кибуц с религиозным уклоном, ему там очень понравилось: красота, маленькие комфортабельные домики в окружении зелени. Просто заболел человек идеей перебраться туда жить навсегда с семьей. Он прошел собеседование, приезжал один, его принимали прекрасно, вроде все уже было решено, и он приехал последний раз поговорить с руководством кибуца вместе с женой. Поговорили, а потом его отдельно вызвали в правление и вежливо отказали. Женщина, проводившая интервью, сказала, что они не совсем подходят, и добавила, что не хотела бы, чтобы ее дочь, когда подрастет, встречалась с полурусским сыном моего друга. Как он был возмущен и обижен! Как мы все, его друзья и соседи, были возмущены и обижены... А потом я подумала: здесь у каждого своя история, может, у этой женщины всю семью уничтожили в лагерях, может, у нее есть опыт негативный, ну предположим, русский муж взял да и назвал ее жидовкой... впрочем, русского мужа у нее не могло быть в принципе. Как бы то ни было, это было ортодоксальное, суперрелигиозное поселение. Не хотят никого, кроме чистокровных евреев, — их право, это демократия. Таких поселений раз, два — и обчелся. Зачем было стремиться жить среди них, соблюдая жесткие традиции, если душа не очень лежала, хоть и красота, и природа? Вот такая поучительная история произошла в нашем городе лет пятнадцать назад. Не забывайте про демократию, если приедете в Израиль жить, и не выбирайте для жизни непонятный чужой монастырь, в который все равно не прийти со своим уставом. В Израиле полно светских городов, где никаких сложностей нет и в помине.

Спорт

Сказать, что Израиль — спортивная держава, нельзя. Он явно не по этой части. По-моему, главный вид спорта для израильтян — это шахматы, они им интересны, и работать нужно только головой. Я помню, как на одной из олимпиад, когда завершалось торжественное открытие, проходили спортсмены разных стран. Америка — как всегда, толпа, Россия — то же самое, Канада... я вообще молчу, одних хоккеистов не сосчитать. Но вот под бело-голубым флагом горделиво прошествовала израильская делегация. Их было двое: фигурист и его ученик. Оба мои хорошие знакомые из Метулы, это городок малюсенький на самом севере Израиля, минутах в пятнадцати езды от нашего дома, там в школе училась моя дочь.

Надо сказать, что в Метуле есть спортивный центр с катком, где проводятся международные соревнования по фигурному катанию, с бассейном и всем остальным. Очень достойный центр, строительство которого когда-то профинансировала канадская организация и частные лица, поэтому он и называется «Мерказ Канада» (Канадский центр).

Более 40 тысяч спортсменов входят во Всеизраильскую спортивную федерацию, включающую 16 видов спорта, плюс отдельно такие федерации, как шахматная, теннисная, футбольная и баскетбольная, а также ряд спортивных клубов, в частности студенческое спортивное сообщество. Проводятся ежегодные национальные чемпионаты по многим видам спорта: от футбола и регби до парусного спорта, шахмат и карате, волейбола и тенниса, художественной гимнастики и велосипедного спорта. Израиль участвует в международных соревнованиях, таких как летние Олимпийские игры, европейские чемпионаты по баскетболу и волейболу, чемпионаты мира по футболу, и многих других, а также в международных соревнованиях спортсменов с ограниченными возможностями — инвалидов.

Есть крупные спортивные комплексы с залами до 40 тысяч зрителей в Тель-Авиве и Иерусалиме. Профессиональных спортивных судей и тренеров готовит Институт физической культуры и спорта. Спортивные комплексы и призовой фонд образуются из доходов национальной лотереи.

С наплывом иммигрантов из бывшего СССР в Израиле стали популярны зимние виды спорта, такие, например, как фигурное катание, а также спортивная и художественная гимнастика. С 1952 года Израиль принимает участие в летних Олимпийских играх. Трагедия, произошедшая на Мюнхенской олимпиаде в 1972 году, когда от рук террористов в результате попустительства и неопытности немецких властей погибли 11 членов израильской спортивной делегации, казалось, должна была послужить сигналом опасности всему миру. Но видя равнодушие к судьбе погибших и наказанию преступников, Израиль, как и во многих других случаях, вынужден был сам осуществить возмездие и уничтожить всех участников и организаторов этого террористического акта. В память погибших спортсменов в Израиле проводятся соревнования фехтовальщиков и борцов.

Очень успешны израильские яхтсмены, много раз завоевывавшие золото своей стране на чемпионатах мира. Прибытие тренеров и спортсменов из бывшего СССР улучшило положение и в плавании: в 2008-м Анна Гостомельская завоевала золото на дистанции 50 метров стилем баттерфляй. В том же году в Австралии мужская пара из Израиля выиграла чемпионат по теннису. Главное достижение Израиля — это массовость и доступность спорта, хорошо оборудованные площадки и спортзалы в школах и университетах, тренажеры и спортивные снаряды в парках городов, где всегда при желании можно потренироваться на воздухе, а не ходить в фитнес-центр за немалые деньги.

Усыновление

Израиль разрешает иностранным гражданам усыновлять сирот, но израильтяне, как правило, опережают иностранцев. В этой стране детских домов попросту не существует, так как сироты и дети из семей, лишенных родительских прав, немедленно оказываются в опекунских семьях и, как я писала уже, у родственников, к тому же случаи лишения родительских прав — исключение из правил и большая редкость. Случай из жизни привести не могу...

Право на усыновление, безусловно, имеют ближайшие родственники, но если их нет, или они не в состоянии, или отказываются от усыновления, ребенок немедленно попадает в картотеку, а затем в опекунскую семью, которая довольно быстро оформляет все необходимые документы на усыновление. Иностранцы опять же получают по законодательству право на усыновление только в случае, если не находится опекунской семьи по месту проживания ребенка, то есть первоочередное право за израильтянами, исключение предоставляется родственникам, которые могут быть не гражданами Израиля.

В Израиле такое большое количество семей, которые хотят усыновить ребенка, что это практически сводит на нет шансы иностранцев дождаться своей очереди. Можно предположить, что ребенок инвалид и его долгое время не хотят усыновить, тогда возможна подача прошения иностранцев о передаче этого ребенка, но такого случая до сих пор не было зарегистрировано.

В Израиле существует практика временного опекунства, когда обычно религиозные семьи берут ребенка до того времени, когда будут найдены опекуны, что тоже почти исключает вероятность того, что ребенок покинет страну.

Цфат

Посещение города Цфат, с его великолепными видами на горы, свежим, чистым горным воздухом, — это совершенно незабываемый опыт.

Это один из четырех святых городов Израиля. Городок небольшой, весь находящийся на вершине горы, очень высоко — иногда облака лежат ниже, на уровне середины гор. Издавна здесь селились каббалисты, изучали Тору и Каббалу, вставая по своим правилам в 3 часа ночи, писали мудрые книги. Еще город имеет процветающую колонию художников, много музеев и древних синагог. Керамика, бриллианты, изделия кустарного промысла производятся в городе, куда приятно приехать, если нужно купить подарок. Очень много ювелирных магазинов. Я давно обратила внимание, что здесь и золотые украшения продаются дешевле, чем в других местах, и выбор больше.

Основан Цфат в 70-м году нашей эры. Цфат называют Tzefiya в Талмуде. Иосиф Флавий, еврейский историк и солдат, пишет о возведенных здесь укреплениях, которые впоследствии легли в основу замка крестоносцев, построенного рыцарями-тамплиерами в XXII веке, его руины до сих пор стоят. После изгнания евреев из Испании в 1492 году многие переехали в Цфат и сделали город важным центром каббалистических знаний. В значительной степени город был разрушен в результате землетрясения в 1769 году. Цфат был заселен русскими хасидами позже, в 1776 году. Арабы заставили большинство евреев покинуть Цфат в 1929 году, но евреи вернулись после 1948-го, арабо-израильской войны.

Древний город Галилеи... Цфат является самым высоким городом в Израиле, и с горы, на которой он стоит, открывается захватывающий вид на Галилею и белые заснеженные вершины горы Хермон.

Цфат — очень живописный город духовных людей и художников, завернутый в мистику и тайны и, по-моему, слегка уставший от своей священной атмосферы. Посетители Цфата бродят по улочкам прошлого среди очаровательных каменных домов, заглядывая в студии и мастерские художников. Квартал художников находится в той части города, которая раньше была арабским кварталом Цфата. Художники живут и работают в своих студиях.

Здесь есть захватывающие музеи, которые касаются истории города, роскошные отели и огромная крепость крестоносцев. Здесь также проводятся многочисленные фестивали, главный из которых — это, конечно, фестиваль кляйзмеров, о котором речь пойдет дальше. Это город для отдыхающих и туристов, город художников и раввинов, со своей историей и традициями.

13. Квартирный вопрос

Свой дом

Это странное слово «машканта» пугало в первый год жизни в Израиле. Казалось, как же так можно, взять ссуду в банке на покупку квартиры или дома, а потом много лет ее выплачивать? Находились советчики. Самое ужасное — это не слушать собственную интуицию, а довериться чужому человеку.

Я приехала в Израиль с дочкой, довольно быстро устроилась преподавать английский и все время смотрела на новый район, который строился в нашем городе в чистом месте, где никакой промышленности не было и можно было купить отдельный домик, который стоил тогда 25 тысяч долларов. Однажды пришла на урок преуспевающая дама, которой английский нужен был для карьеры. Я сказала, что у меня зреет идея купить трехкомнатный домик. Она сделала квдратные глаза и сказала: «Ты хочешь одна взять машканту?» Даже объяснять не буду, какие это были, с ее точки зрения, глупость и преступление. Никогда не слушайте советы, тем более такие. Я в конечном счете все равно купила квартиру в этом районе, но когда сама во всем разобралась через три года, только стоила она уже не 25 тысяч, а больше 100 тысяч долларов. Цены растут. Многие банки требуют 30 или 40 процентов от стоимости квартиры в качестве первого взноса, а раньше больше пяти процентов никто и не платил. И все-таки, я думаю, недвижимость — это лучшее вложение денег. Цены на нее в Израиле растут несмотря ни на что, и лучше все-таки иметь свою крышу над головой, а не арендовать. В конце концов, свой дом всегда можно продать. Сейчас дома и квартиры в Израиле очень подорожали.

Финансирование

Молодые пары редко имеют деньги на покупку квартиры, но жить с родителями не принято, вечно снимать квартиру — тоже не дело, уж лучше платить за свое. Поэтому нет другого выхода, как влезть в ипотеку и купить свое жилье.

В Америке я видела целые улицы, застроенные домами, предназначенными для аренды. Там снимают квартиры и новые эмигранты, и люди, предпочитающие так жить и иметь свободу в любой миг уехать и поменять квартиру. Народ на Западе и, кстати, в Израиле очень мобильный: где человек нашел хорошую работу — туда и поехал жить. На этот случай висящая камнем на шее недвижимость все только осложняет, поскольку за нее нужно постоянно выплачивать деньги банку. Правительство по каким-то причинам не поддерживает идею строительства квартир в аренду, цены на съемное жилье тоже значительно выросли. Во многих странах мира строительство жилья, предназначенного для сдачи в аренду, — обычное дело, а в Израиле это почему-то непопулярно.

Покупка квартиры — это, конечно, риск. Все в жизни может случиться, можно потерять работу, а значит — и возможность выплачивать ссуду, но жить-то надо здесь и сейчас. Зачем настраиваться на плохое и ждать беды? Если есть возможность, если зарплата идет — по-моему, нужно купить квартиру. Кроме всего прочего, собственная квартира, пусть даже принадлежащая банку, — это хорошее качество жизни, а главное — это инвестиция. Те, кто в 1992 году сообразил купить домики, о которых я рассказывала, по 25 тысяч долларов, через 7–10 лет продавали их по 170 тысяч долларов, достроив пару комнат на втором этаже.

Квартиру может купить и семья, и одиночка, а могут они купить и вместе, в этом случае одиночке принадлежит треть квартиры, а семье — две трети. Так в 1994 году мы купили дом (в нашем понятии таунхаус, поскольку эта двухэтажная квартира с небольшим зеленым двориком была в одном ряду слепленных друг с другом домов, которых было четыре).

Если квартиру покупают семья минимум из двух человек и двое одиночек, то семье принадлежит 50% квартиры, а каждому из одиночек — по 25%.

Сумма объединяемых ссуд не должна быть больше 95% стоимости приобретаемой квартиры.

Кацрин

Кацрин — столица Голанских высот. Город, основанный в 1977 году, стал коммерческим и туристическим центром. Он построен в самом центре Голанских высот, и это молодой город, известный своими красивыми пейзажами и высоким качеством жизни. Его особенное расположение обеспечивает легкий доступ ко многим заповедникам, историческим и археологическим памятникам.

Город назван в честь древнего города Кацрин, руины которого находятся в соседнем с Кацрином парке древностей. Древний город был заселен около 4000 лет назад, и археологические раскопки нашли доказательства существования здесь еврейской деревни талмудического периода. Это было до мусульманского завоевания, чуть более 1300 лет назад. Остатки старинной деревни с реконструированными частями домов сохраняются здесь в комплекте с их интерьерами и сельскохозяйственными орудиями, которые использовались жителями. Центральный отрезок является великолепной синагогой VI века, которая свидетельствует о процветающем обществе. В парке множество красивых мест отдыха, он окружен фиговыми деревьями и виноградниками. Есть здесь также музей современной скульптуры из базальта.

В промышленной зоне находится завод по розливу минеральной воды и большой винный завод, один из самых известных в Израиле, и у обоих есть центры для посетителей. Музей древностей находится в торговом центре Кацрина, он пополняется археологическими находками из региона, кроме того, музей проводит впечатляющие аудиовизуальные презентации героической обороны города Гамла от сил римского цезаря в I веке.

Музей кукол, изображающих историю еврейского народа вплоть до возобновления еврейского поселения Израиля на Голанских высотах, создавался в конце XIX века. В Кацрине много магазинов, пабов и ресторанов.

Берите все, что дают

На самом деле иммиграция в Израиль очень легкая и плавная. Вас просто несут на руках. Начинать бы все заново — можно было бы расслабиться и вообще не волноваться. Сначала вам все объясняют, потом встречают. Дальше вы изучаете иврит, и вам еще платят за это. Если сравнить с Канадой — там ничего этого нет, сколько привез денег — столько привез; хочешь — учи язык, не хочешь — не учи, только платить тебе никто не будет. А в Израиле помогают с работой. Дают амдаровскую квартиру, если хочешь, возят ребенка в школу, а тебя на работу.

Образовательные программы бесплатные для недавно прибывших. Разведенным женщинам доплачивают немаленькую сумму ежемесячно при работе 8 часов в день. Про медицинскую страховку вы знаете. Иногда предлагают какие-то ссуды на льготных условиях. Когда я жила первый год в стране, у меня был ученик, который ходил на частные занятия, а в то время стали одиноким женщинам предлагать большую ссуду, которую отдавать нужно, но когда — они точно не сказали... Вот тогда мой ученик, который, в отличие от меня, успел прожить в Израиле около года, сказал твердо: «Берите все, что дают». Я опять не послушала совета, побоялась взять ссуду, о чем скоро пожалела: ее разрешили вообще не отдавать.

Пожалуйста, не слушайте тех, кто советует вам переучиться и сменить специальность, если вы ее любите. Я помню, как мне говорили, что английский в Израиле никому не нужен, им владеют все. Вот уж неправда! Предлагали стать бухгалтером. Вот уж ужас! Не нужно повторять чужие ошибки.

Метула

Метула — самый северный город Израиля, тихое и приятное место, построенное на гряде холмов с видом на гору Хермон и зеленые пейзажи Галилеи.

Этот спокойный город, расположенный в непосредственной близости от ливанской границы, привлекает много туристов и отдыхающих, которые приезжают, чтобы посетить исторические места и красивый водопад. Метула была основана в 1896 году, в чем, как всегда, принял участие барон Эдмонд де Ротшильд. Метула была основана как мошав, иначе говоря, полукооперативное сельскохозяйственное сообщество. После войны Израиля за независимость еще несколько районов были добавлены к Метуле, которая переросла в город. Большинство ранних поселенцев Метулы зарабатывали себе на жизнь сельским хозяйством. Вдоль извилистой дороги к Метуле посетители увидят большие квадраты персиковых и сливовых садов, которые цветут розовыми и белыми цветами весной.

В Метуле развивается туризм и индустрия отдыха. Я уже писала о прекрасном спортивном центре этого города. Туризм в настоящее время является основным источником городского дохода. В Метуле есть много гостиниц, некоторые из них в вековых зданиях и очаровательных гостевых коттеджах, которые были построены во дворах многих домов.

А что же насчет зимы, которую так любит русская душа, — снег, лед, снеговики, санки? Не стоит печалиться... Все будет, достаточно только оказаться зимой на далеком севере, у подножия самой высокой в Израиле горы Хермон, и как по мановению волшебной палочки — вы в царстве матушки-зимы. Высота горы Хермон около 2800 метров, протяженность подножия около 60 километров, так что всем места хватит.

В этой части страны самые низкие температуры, и в то же время здесь выпадает самое большое количество осадков, то есть снега попросту говоря, и что самое невероятное, снежный покров порой держится круглый год — эдакая белая красавица-шапка, венчающая вершину горы. Кроме двух-трех жарких летних месяцев, у вас есть прекрасная возможность наслаждаться всеми видами зимнего спорта да и просто наконец погрузиться в чарующую атмосферу холода, такую родную и близкую выходцам из России.

Протяженность оборудованных трасс более 50 километров: здесь и сноубординг, и горнолыжные трассы, и возможность просто поваляться в снегу или прокатиться на санках. Если вы не умеете кататься с крутых горок, к вашим услугам опытные тренеры и мастера всех зимних видов спорта, многие из которых к тому же неплохо говорят по-русски.

Летом у приезжающих сюда есть возможность полюбоваться окружающим волшебным пейзажем и скатиться в специальном пластиковом монорельсовом кресле, рассчитанном на двух пассажиров, по трассе протяженностью около километра, где скорость порой достигает более 40 километров в час. Утешает, правда, то, что скорость вы можете регулировать сами с помощью специального тормоза. Но это не все. Приятно удивляет прекрасная инфраструктура отдыха с отелями, ресторанами и кафе.

В Израиле построено несколько круглогодичных крытых катков в Иерусалиме и Тель-Авиве. Но даже в сравнительно небольшом городке Метула у вас есть возможность кататься на коньках круглый год в «Мерказ Канада» —

крупном центре спорта и развлечений. Каток олимпийских размеров и стандартов к вашим услугам. Здесь постоянно тренируются спортсмены, но и любой желающий может приехать отдохнуть сюда вместе с семьей — ведь в этом центре можно не только взять коньки напрокат, но и воспользоваться советами опытных тренеров.

Моя дочь училась в метульской средней школе до конца восьмого класса, и занятия физкультурой проходили в «Мерказ Канада» на катке круглый год. Так что она прекрасно научилась кататься на коньках в жарком Израиле. Мы нередко ходили в этот центр на международные соревнования по фигурному катанию. Как красиво! Какие костюмы у фигуристов, а уж как катаются!

Кибуцы

Кое-что о кибуцах я вам уже рассказала. Первым впечатлением двадцать лет назад было полное потрясение от того, что в отдельном зале занимались ткачеством 90-летние старики — они ткали коврики, чтобы хоть чем-то приносить пользу остальным члена коммуны. Потом начались детали. Еда и дома замечательные, ничего не стоят. Все делают что-то для всех. На майках, носках, носовых платках приделаны бирочки с номерами. Все сдается в стирку, кто-то на всех стирает, несколько человек на всех гладят. Устроился на работу вне кибуца — прекрасно, приноси всю зарплату в кибуц, товарищам. Мало зарабатываешь — хорошо; много получаешь, преподавая в университете, например, — тоже хорошо, неси сюда, но если ты хочешь учиться — кибуц оплатит всю учебу, хочешь прокатиться на автобусе — принеси билетик, товарищи оплатят. Кто-то убирает, кто-то моет посуду на всю общину, старички вот коврики ткут, чтобы не чувствовать себя не у дел. Нужно поехать в другой город на три дня — бери машину из общих, кибуцных. В конце года все кибуцники получают кругленькую сумму на путешествие, хотя их можно потратить и на что-то другое. Так прошло больше ста лет, но в последнее десятилетие эта прекрасная система начала изменяться.

Началась приватизация. Частично начали работать за деньги, кибуцы считались убыточными, хотя они много выращивают овощей и фруктов, и заводики в кибуцах есть.

После десятилетий сокращения численности, банкротства и приватизации сейчас пошел обратный процесс. Кибуцное движение переживает замечательное возрождение с ростом числа желающих присоединиться к уникальной форме коллективной жизни. Нигде в мире больше такого нет.

Начался приток людей трудоспособного возраста и детей в кибуцы, что помогает восстановить баланс, чтобы не было явного и быстрого старения населения. Только в около 60 из 275 кибуцев Израиля по-прежнему работает полностью коллективная модель, в которой все члены платят одинаково, независимо от их вклада в общее дело и общую кассу. Большинство же кибуцев ввели различия в заработной плате для людей, работающих в кибуце, — но, что более важно, многие члены в настоящее время работают за пределами кибуца и отдают часть своей зарплаты коллективу.

В кибуце, где живут наши друзья последние 2–3 года, идет разделение домов и участков между кибуцниками. Дети кибуцников не имеют прав, равных членам кибуца. Они считаются обычными жителями. Здесь сейчас есть несколько молодых семей с детьми и просто студенты, которые снимают квартиры. Недавно началось строительство нового района. Это сейчас новое популярное движение во многих кибуцах. Молодые семьи строят дом в кибуце и получают бесплатно землю (обычно полдунама). В этом кибуце надо получить статус «свободный член кибуца». Это значит, что человек, который там живет, не должен платить дополнительные налоги, которые платят до сих пор кибуцники за пенсионеров и прочие дела, но и на земли, которые вокруг и принадлежат кибуцу, он тоже не может претендовать. Как-то вот так.

Два года назад моя подруга с мужем, живущие в кибуце, решили строить дом и записались. Это могут сделать не всех желающие, но семью моих приятелей в кибуце любят. Они уже много лет там живут. Их послали на графологический тест (определение характера по почерку). Потом они проходили собеседование у кибуцников (есть специальный коллектив по этим делам), заплатили первый взнос 15 000 шекелей, выбрали участок и начали строить себе дом. Планировку дома можно было выбирать из предложенных готовых вариантов, это быстрее и немного дешевле. Вообще такой дом стоит от миллиона двести и выше. Чтобы построить такую красоту, им пришлось вырубить много красивых эвкалиптов, иначе бы не открылся вид на долину, что, в общем-то, грустно...

Есть, конечно, много плюсов в кибуцной жизни. За последние 8 лет здесь произошли существенные изменения. Когда мы приехали сюда в 2002 году, молодых семей с маленькими детьми почти не было. Содержать садики было проблематично. А сейчас детские сады переполнены детьми всех возрастов, и большинство деток — кибуцные.

Когда мы приехали в кибуц, застали еще несколько совместных ужинов в общественной столовой, но через год уже этого удовольствия не было. Осталась только маленькая столовая для работников завода и другая маленькая столовая для гостиничных домиков. Постепенно люди, проживающие тут, перестали встречаться друг с другом, так как не было общих праздников и мероприятий. Люди даже могли и не знать, кто живет в соседнем доме, — в общем, как в городе. Но сейчас все опять вернулось на круги своя, опять все изменилось.

С каждым годом прибывает все больше молодых семей. Некоторые из них строят дома и уже получили статус свободных кибуцников. Они здесь строят новую общину. Отмечаются все праздники и для взрослых, и для детей. Причем с каждым годом все ярче и ярче. Появились совместные дела и такие места, как органический огород, игровой зал для детей после садика, просто летнее кафе на траве, организуются походы, пикники. Появилось живое общение. И это классно. Когда женщина рожает, то другие мамочки собираются первые недели и каждый день приносят домой еду, убирают, стирают и всячески помогают. Когда у моих друзей родилась дочка, их пристроили в кибуцную семью. Они ходят в эту семью минимум два раза в неделю.

В каждом кибуце есть свои особенности, но в общем картина похожая. Кибуцы возвращаются к своей нормальной коммунистической жизни.

Автомобиль мечты

Давайте помечтаем: реально ли, что в этом году можно прибыть в Израиль и совершить ту же поездку по тому же маршруту но... на электромобиле?

Первая сотня электроскакунов производства фирмы «Рено» с экзотическим названием «Fluence», то есть «Бегун», прибыла в Израиль. Что новенького предлагает фирма помимо подзарядки батареи автомобиля дома или на любой заправочной станции, что, как известно, занимало много времени и сильно снижало достоинства этой прелестной и, главное, абсолютно экологически чистой игрушки? Предлагается не заряжать, а менять на станциях батареи на уже заряженные, что должно занимать по времени не больше, чем заправка бензином.

При том, что новая модель пробегает до 160 километров на одной батарее, это практически делает ее уже вполне конкурентноспособной и заманчивой. Этот эксперимент фирма ставит впервые. Сеть станций роботизированной замены батарей так называемой «горячей» заправки решает проблему длительной и комфортабельной эксплуатации автомобиля. Строительство этих станций уже вовсю разворачивается в стране. Придумана и реализована подобная схема американской компанией Better Place. Батарея, которая весит 225 килограммов, обеспечивает длину пробега в необходимые 160 километров. При средней скорости в 80 км в час это 2 часа от станции до станции, не забывайте, что у вас при этом остается возможность если не заменить, то в критической ситуации по крайней мере подзарядить батарею на любой традиционной станции. В машине встроен навигатор, показывающий место расположения и время до ближайшей станции. Правда, первая боевая сотня пока не для нас, она предназначается для сотрудников фирмы, но они будут платить арендную плату и практически ничем не отличаются от будущих клиентов.

Израиль — лидер и испытательный полигон для этого прорыва в будущее экологически чистых автомобилей. А если осуществится и идея с подпиткой электромобиля от элементов, вмонтированых в асфальт, бензиновый автомобиль займет свое место в музее.

Хайфа

Большую часть отпуска мы провели в Кирьят-Шмоне, городе, где начиналась моя израильская жизнь, где все связано с молодостью, родителями, постижением израильской жизни и связанными с ней открытиями. Через месяц настал день отъезда. Попрощавшись с друзьями, коллегами, соседями, мы отправились в аэропорт Бен-Гурион, на этот раз планируя сделать остановку на несколько дней в Хайфе.

Хайфа — это город-порт. В Израиле есть пословица: «Иерусалим молится, Хайфа работает, а Тель-Авив веселится». Вот мы наконец и подъехали к этой ломовой лошадке — Хайфе.

Это третий по величине город страны и один из самых красивых. У Хайфы есть много всего, что можно предложить посетителям. Она имеет крупнейший порт страны, особенно активный пляж, и она является домом Всемирного центра веры бахаи, плюс интересное сочетание современных кварталов и старых районов, храмов, синагог, церквей и мечетей. Рядом горы и море.

Хайфа — многогранный город с несколькими уникальными характеристиками, что делает его привлекательным местом для посещения. Ее близость к морю и прекрасные пляжи притягивают сюда людей, желающих заняться спортом и отдохнуть, пляжи уже в апреле заполнены людьми, пришедшими просто побродить по берегу вечером или провести здесь все выходные. Парусный спорт популярен в Хайфе, по морю мчится при хорошем ветре множество белых яхт.

Хайфа является также символом выдающегося сосуществования и терпимости. Здесь мирно живут евреи, христиане, мусульмане и бахайцы. Девять процентов населения составляют арабы (мусульмане и христиане), которые проживают в основном в трех кварталах: Халиса, Абас и знаменитый Вади Ниснас. Очаровательные улочки превратили последний в туристическое место. Христианское присутствие в Хайфе, с его многочисленными церквями, также вносит свой вклад в облик города. Церковь кармелитов, построенная в честь пророка Илии, стоит недалеко от греческой православной церкви Сент-Мэри. На вершине Кармеля святыня для христиан — монастырь кармелитов. Рядом могила пророка Илии, а в монастыре находится небольшой музей, посвященный его жизни. Это не полная религиозная мозаика города.

Храм Бахаи и его Всемирный центр (World Center) располагаются в этом городе. Комплекс стоит на склоне горы Кармель, славится своими великолепными садами. Он включает в себя ландшафтные изысканные «висячие сады», которые тянутся около километра вдоль набережной Луи. Усыпальница — место захоронения основателя веры. Можно наслаждаться, прогуливаясь по красивым садам днем, но со специальным освещением вечернее посещение обеспечивает равное удовольствие.

Хайфа также может похвастаться многими учреждениями, занимающимися вопросами культуры, искусства и науки, которые предлагают множество фестивалей и мероприятий. Несколько типов музеев находятся в Хайфе, в том числе: Национальный морской музей, Национальный музей науки и техники; Музей искусства в Хайфе, Музей железной дороги, Музей японского искусства, Музей промышленности Израиля и Музей нефти. Хайфа также является домом Техниона, первого по значимости учреждения высшего образования. Университет Хайфы расположен рядом с заповедником Кармель, известным своей круглогодичной зеленью и ее опьяняющей красотой.

14. Для души

Балет Большого театра на лужайке

Искусство, музыка, театр... всего это в Израиле на любой вкус. Кроме своих артистов и музыкантов, здесь еще полно гастролеров. Даже в маленькой Кирьят-Шмоне есть прекрасный концертный зал, который в народе зовут «Грановский». Каких только спектаклей там не было, какие только театры и исполнители туда не приезжали: от «Тартюфа» до «Анны Карениной», от Александра Розенбаума до Ирины Архиповой. Однажды приезжал балет Большого театра, но выступали они на природе, на одной из галилейских сцен под открытым небом. Люди принесли раскладные кресла, пледы, чтобы укрыться, потому что ранней весной было еще прохладно, и вдруг полилась знакомая музыка Чайковского и на сцену выпорхнули балерины Большого театра в своих привычных пачках. «Лебединое озеро» звучало совсем необычно на фоне только что распустившихся эвкалиптов и акаций. Люди сидели зачарованные все четыре действия балета. Запомнилось надолго, пожалуй, навсегда.

Музыкальная культура

Интересна история удивительной дружбы двух великих музыкантов — Федора Шаляпина и Мордухая Галинкина, талантливого дирижера, которая была обусловлена их восторженным отношением к музыке и гениальности друг друга. Поэтому, когда Галинкин, одержимый идеей создания музыкального театра, в 1918 году попросил Шаляпина дать благотворительный концерт для сбора средств на театр в Израиле, Шаляпин не только единственный раз в своей жизни согласился, но и исполнил произведения на трех языках: русском, иврите и идиш. Шаляпин исполнил на иврите «Атикву», которая стала впоследствии гимном государства Израиль. Галинкин после отказа ему в дирижировании на сцене Мариинского театра, несмотря на протекцию Шаляпина, уехал в Эрец Исраэль и частично осуществил свою мечту, создав в Тель-Авиве первую оперную труппу.

Волна иммигрантов из Европы в 30-е годы прошлого столетия, спасавшихся от нараставшей угрозы фашизма, принесла профессиональных талантливых музыкантов, как исполнителей, так и композиторов, а также музыкальных педагогов и певцов — артистов оперы и балета, и дирижеров.

Израиль сегодня — одна из популярных и почетных артистических площадок мира, интегрированных в современную мировую музыкальную жизнь и культуру. Гастролируют в Израиле всемирно известные музыканты. Выступали на этой земле один из лучших симфонических оркестров мира «Виртуозы Москвы» под управлением маэстро Владимира Спивакова и «Вивальди оркестр» со Светланой Безродной, а также всемирно известные израильские солисты: Пинхас Цукерман, Шломо Минц, Даниэль Баренбойм, Ицхак Перельман, которых всегда восторженно принимают израильские поклонники классической музыки.

Часто гастролирует Израильский филармонический оркестр, созданный по инициативе скрипача Бронислава Губермана в 1936 году, который свой первый концерт дал в Тель-Авиве под управлением Артуро Тосканини. Теперь это один из лучших оркестров мира. Из событий музыкальной жизни, имеющих мировое значение, необходимо отметить Международный конкурс арфистов и фортепианный конкурс им. Артура Рубинштейна. Популярен весенний трехнедельный Фестиваль Израиля в Иерусалиме, в котором принимают участие актеры, танцоры и музыканты со всего света.

Охотно и много гастролируют в Израиле и ведущие театральные коллективы России, так же как и эстрадные популярные группы, коллективы и солисты. Ставятся драматические спектакли Виктюка, Калягина, театра имени Товстоногова, Театра эстрады, выступают Макаревич, Жванецкий, Ким, Хазанов... На экранах страны идут российские фильмы. Из всего этого ясно, что Израиль по-прежнему тесно связан с культурой России.

Театр «Гешер»

Театров в Израиле немало, но этот особенный. В переводе с иврита «гешер» значит «мост». А получилось так: в 1990 году, когда, как я вам рассказывала, в Израиль хлынула волна переселенцев из СССР, группа молодых актеров, которые все были учениками режиссера Евгения Арье, эмигрировала в Израиль. Приехали они вместе с режиссером-учителем, который тоже репатриировался в Израиль. Можно было приехать, поменять профессию, начать что-нибудь преподавать, но эти творческие люди совершенно не собирались предавать свою профессию. У них была идея создать свой театр.

Я думаю, что на тот момент они не вполне владели ивритом, поэтому театр их на первых порах мог «звучать» только на русском. Да и культура... менталитет. Короче, они привезли в Израиль свою мечту — создать новый театр и играть в нем в свое удовольствие. Министерство образования и культуры их поддержало, подключился Фонд развития Тель-Авива и еще несколько организаций, и театр был создан. Разумеется, им пришлось приложить массу сил, ничто само не делается. Весной 1991 года театр «Гешер» открылся спектаклем «Розенкранц и Гильденстерн мертвы». Автор пьесы — Том Стоппард, перевод Иосифа Бродского. Спектакль сыграли на русском языке, о нем было много восторженных отзывов в газетах. В общем, всем понравилось, и театр заработал.

Леонид Каневский работает там с 1991 года. В начале девяностых пришли в театр Исраэль Саша Демидов, Евгения Додина, Наташа Манор, Игорь Миркурбанов, Лилиан Рут, Борис Аханов, Евгений Терлецкий, Леонид Каневский, Владимир Халемский, Евгений Гамбург, Григорий Лямпе, Нелли Гошева и другие. Спектакли поначалу шли на русском, потом «Гешер» стал полноценным израильским театром, и спектакли стали ставить и на русском, и на иврите. Сейчас спектакли идут на иврите с русскими субтитрами. Новые спектакли: «Дон Жуан», «Деревушка», «Крейцерова соната».

Известные артисты с радостью поступают в труппу театра. Сегодня там играет Кирилл Сафонов, которого мы знаем по фильмам и работам в московских театрах: театре имени Владимира Маяковского и театре имени К.С. Станиславского.

Недавно театр получил премию «Золотая маска». Одна из последних постановок театра «Гешер» — комедия «Я люблю тебя. Ты — само совершенство. Теперь изменись!» — известный бродвейский хит. Комедия с грустинкой, но мне понравилась.

Израильский филармонический оркестр

Зубин Мета, замечательный музыкант и дирижер, родом из индийского города Бомбей, был музыкальным директором Симфонического оркестра Монреаля, когда его пригласили в Израиль, где он был назначен музыкальным советником Израильского филармонического оркестра. Было это в 1969 году. Вскоре он стал художественным руководителем оркестра и начал выступать с ним в разных городах мира и, само собой, в Израиле. Я была однажды на их концерте симфонической музыки в Тель-Авиве, покидала его под таким же грандиозным впечатлением, какое произвел на меня Спиваков со своими «Виртуозами Москвы».

Дирижер остался с оркестром навсегда. В 1981 году Израильский филармонический оркестр присвоил ему звание музыкального руководителя на всю жизнь. Зубин Мета провел более трех тысяч концертов с этим необыкновенным ансамблем, в том числе туры на пяти континентах. Они объехали с концертами весь мир. Зубин Мета со своим оркестром выступал на сцене Метрополитен-опера в Нью-Йорке, в Венской государственной опере, их принимал Королевский оперный театр Ковент-Гарден, Ла Скала, выступали они и в оперных театрах Чикаго и Флоренции, а также на Зальцбургском фестивале. В Израиле выступления ансамбля проходят постоянно, можно взять абонемент и ходить на концерты раз в несколько месяцев.

Зубин Мета поддерживает молодых талантливых музыкантов и продвигает их по всему миру. Вместе со своим братом он создал Mehli Mehta Music Foundation в Бомбее, где более 200 детей обучаются западной классической музыке. В Израиле он основал Школу музыки Бухман-Мехта в Тель-Авиве, где обучают и развивают молодые таланты. Эта школа тесно связана с Израильским филармоническим оркестром. Сейчас там есть новый проект обучения молодых израильских арабов в отделении школы, которое находится в районе Назарета, где вместе с местными учителями с детьми работают и члены Израильского филармонического оркестра.

Фестиваль кляйзмеров

Этот фестиваль обычно начинается в Цфате, городе каббалистов и художников, высоко на горе, ехать к которому надо по серпантину. Здесь жили мои родители, и мы всегда наблюдали, как съезжаются автобусы и из них выходят люди, прибывшие послушать музыку. Местные жители, израильтяне со всех концов страны, считают необходимым участвовать в этом ритуале. Иностранных гостей тоже приезжает много — не только для того, чтобы послушать, но и чтобы принять участие в этом Международном фестивале кляйзмерской музыки в Цфате, который иногда бывает весной, иногда летом.

Выходят скрипачи, флейтисты, трубачи. Несут большие аккордеоны и блестящие на солнце кларнеты, и такое начинается! Играют ведь не только в залах. Музыканты выходят на улицы, и еврейская музыка разливается, заполняя дворы и площади. Люди идут и играют: кто-то в черных костюмах, кто-то в белых рубашках, и чем больше играют, тем больше себя и всех вокруг заводят. Народ словно прилипает и идет рядом. Это самый крупный в мире фестиваль еврейской народной музыки, а что такое музыка кляйзмеров и вообще музыка? Это душа народа… Веселенькая, однако, у евреев душа, просто, можно сказать, в беспрерывном веселье пребывающая. А чего грустить?

Кляйзмеры расходятся все больше, уходят по улицам все дальше, и вот уже только скрипки слышны, и столько в них оптимизма, и задора, и иронии, и изредка мелькающей грусти… Эти чарующие звуки будут слышны три дня, пока будет длиться этот старейший фестиваль народной музыки, и Цфат, древний галилейский город, забудет о своих ишивах (религиозных школах), о занятиях в школах каббалы и расслабится под звуки музыки. Ну а местные художники, среди которых много и выходцев из наших краев, под это дело, может, продадут немного картин, пока все ликуют, а некоторые под звуки скрипки пустятся в пляс.

Эпилог

Кейсария

Всегда Кейсария была в стороне от моих привычных маршрутов, и оказалась я здесь впервые лишь в апреле 2011 года. Было часов шесть вечера, мы устали после насыщенного дня, поездки по делам в Хайфу, да и жарко было в тот день, солнце просто обжигало, когда мы поднимались в Бахайские сады. Вспомнили, что Кейсария все-таки недалеко, надо туда наведаться. Съехав с шоссе, попали на красивые ухоженные дороги, все в цветах по обочинам, где машин почти не было. Снова охватило пронзительное чувство: если жить здесь и видеть все это каждый день... это же счастье, стопроцентное счастье! Подъехали к амфитеатру, а там решетка вокруг и замок. Поздно приехали. Все уже закрыто, и нигде ни души, только море видно вдалеке и какие-то римские скульптуры, скорее их копии, стоят недалеко от амфитеатра.

Вдруг мы обратили внимание на будку, из которой вышел мужичок. Что-то он здесь сторожил. Тишина пронзительная, даже моря не слышно, людям здесь скучно, что и от кого здесь сторожить? Амфитеатр не унесут, не унесли же в последние две тысячи лет. Абсолютно не веря в успех, я попросила открыть нам дверь и дать посмотреть римские штуки, сказала, что мы здесь впервые и вряд ли когда-то выберемся еще раз. Он молча меня выслушал, точнее, мою пламенную речь на иврите и открыл нам дверь.

Римский амфитеатр встречал нас двоих торжественно и величаво. Видимо, специально свыше так было устроено, чтобы никто нам не мешал и мы увидели этот прекрасный концертный зал, построенный во времена царя Ирода. Однако совсем не так это было — на сцене два израильских музыканта устанавливали сложную новейшую музыкальную технику для завтрашнего концерта, они проверяли звук каких-то немыслимых сверкающих инструментов, качество работы микрофонов, хотя какие там микрофоны: аккустика у древних евреев и римлян была такая, что и в середине амфитеатра и наверху был слышан каждый звук, вполголоса произнесенный на сцене.

Трудно поверить, что этот небольшой и не очень знаменитый в Израиле город был когда-то крупным портом и даже столицей Израиля. В конце концов царь Ирод подарил этот бриллиант римскому императору Августу Цезарю, и город был назван в его честь Кейсарией.

В древности здесь был огромный парк, который стал поменьше, но все же сохранился до наших дней. Это городок с уникальными зданиями разных эпох, молчаливыми свидетелями потрясений, которые случились с Кейсарией за последние 2300 лет. Здесь есть архитектурные следы эллинского периода (III век до н. э.) и периода крестоносцев (XII век), когда Кейсария был портовым городом. Ирод построил мощный порт с рядом развлекательных заведений, бань и храмов. В византийский период Кейсария была важным христианским центром. В период крестоносцев город был укреплен стенами и воротами, которые в конечном счете были уничтожены мамлюками, завоевавшими его в XIII веке.

Здесь нет поблизости современных зданий, людей и вообще цивилизации, поэтому возникает ощущение того, как люди жили здесь тысячи лет назад. Здесь часто проводятся музыкальные спектакли и концерты при большом скоплении людей, билеты дорогие... Очень популярное место, это мы так попали, что никого нет.

Развлечений в Кейсарии много. Можно пройтись вдоль городских стен и вокруг башен, побродить по развалинам замка и различных храмов, посмотреть скачки на ипподроме, посетить древний порт и площадь крошечного городка художников. В районе порта проводятся культурные фестивали круглый год, и чего там только нет: исторические загадки, джип-туры, стрельба из различных видов оружия, дайвинг! Какой-нибудь энтузиаст может исследовать подводные руины.

Рядом со всеми римскими, греческими и еврейскими руинами — зонтики современных кафе, причудливые рестораны, романтические уголки и полоса песчаного пляжа. Древний акведук, который приносил воду в древний город Кейсария, был протяженностью 9 километров. Современный город Кейсария, который унаследовал свое название от древнего города, больше похож на тихое поселение, хотя в самом центре его есть роскошные отели, художественный музей и историческое место, где находятся остатки великолепного дворца с мозаичным полом с узором из удивительных птиц и редкие, уникальные столешницы, инкрустированые стеклом и золотом.

Все это мы увидели на следующий день, когда проснулись в гостинице милейшего города Кейсария и пошли его серьезно обследовать. Но вечер накануне в амфитеатре оставил самое сильное впечатление и лучше всего запомнился из нашего апрельского путешествия.

Я сидела в центре одного из высоко расположенных рядов, смотрела на темное поблескивающее Средиземное море и думала о том, как на этом же месте, в этом же ряду могли сидеть римлянка в браслетах и белых одеждах, рыцарь в доспехах во времена крестоносцев, а теперь сижу я, и о том, как мимолетна жизнь человека, особенно в сравнении с жизнью этих камней и этого моря.

Римский амфитеатр погружался в темноту, парни на сцене заканчивали подготовку к концерту. Я подумала: как же они оставят все эти инструменты и аппаратуру, даже не накрыв, а вдруг дождь? Но потом вспомнила, что не бывает в это время в Израиле дождей и завтра снова будет чистое небо без единого облачка, а осадков теперь месяцев восемь не предвидится.

Мир стал открытым. Какое счастье, что можно ездить по разным странам, жить где хочешь, что из Москвы в Тель-Авив можно просто взять билет и прилететь без всякой визы. В 1991 году я летела сюда через Афины, где пришлось остановиться на три дня, что тоже было интересным опытом в жизни, но это происходило оттого, что не было не то что безвизового режима, но и просто дипломатических отношений между СССР и Израилем, потому и прямого рейса не было. А теперь все по-другому. Мир стал другим.

Ну ладно... не весь мир открыт: Северная Корея закрыта, ну так мне туда и не надо! Столько друзей в Израиле, столько близких людей, и какое счастье, что мне посчастливилось родиться с ними в одну эпоху и мы не разминулись, как с римлянкой и рыцарем, которые с разницей в тысячу лет побывали на представлениях в этом амфитеатре.

Израиль притягивает. Здесь хорошо жить, работать, творчество идет замечательно. Полюбили это место и классики современной русской литературы Игорь Губерман и Дина Рубина. Я их понимаю. Я тоже люблю Израиль. Никогда я не чувствовала себя здесь чужаком или человеком второго сорта. И пока я сидела в амфитеатре, пришла уверенность, что никогда и ничего с Израилем не случится.

Недавно в Торонто я проводила занятие по прикладной психологии и коучингу через скайп. Часть группы из России, часть из Англии, двое из Израиля. Девушка из Израиля отвечала на вопросы, вдруг у нее в Хайфе громко с улицы зазвучала сирена, это все услышали. Она встала у своего компьютера, я за океаном встала у своего. Народ из России и Англии ничего не понял. Мы отстояли 60 секунд, думая о своем... У меня как сирена завоет — всегда Иерусалим перед глазами... Сели.

Я не знаю, как объяснить. Я могу сказать только о том, что переворачивает душу, застревает в сердце и не отпускает уже никогда. Золотой Иерусалим. С ним никогда ничего не случится, поверьте мне. Столица маленькой древней страны, духовный центр маленького древнего народа. И при этом, конечно, центр трех религий, намоленное место и для евреев, и для христиан всех течений, и для мусульман. У всех конфессий есть здесь свой кусок земли. Все здесь живет рядом, и так будет всегда. И все-таки это столица одной страны.

Когда лет 15 назад предложили сделать Иерусалим общей столицей под эгидой ООН, я не забуду, как устало сказал Шимон Перес: «Оставьте нас», то есть он, конечно, признает религиозную значимость города для всех, но... «Оставьте нас». Эти слова слышу я по сей день, когда думаю об Иерусалиме.

Мир тебе, Израиль! Мир тебе, страна, обозначенная цифрой на карте мира. С тобой никогда ничего не случится!

Научно-популярное издание

ГДЕ РУССКОМУ ЖИТЬ ХОРОШО?

Коротаева Елена

ИЗРАИЛЬ
Земля обетованная

Ответственный редактор *Э. Саляхова*
Младший редактор *Е. Боровкова*
Художественный редактор *С. Курбатов*
Технический редактор *О. Лёвкин*
Компьютерная верстка *Л. Панина*
Корректор *Е. Сербина*

ООО «Издательство «Эксмо»
123308, Москва, ул. Зорге, д. 1. Тел. 8 (495) 411-68-86, 8 (495) 956-39-21.
Home page: **www.eksmo.ru**   E-mail: **info@eksmo.ru**

Өндіруші: «ЭКСМО» АҚБ Баспасы, 123308, Мәскеу, Ресей, Зорге көшесі, 1 үй.
Тел. 8 (495) 411-68-86, 8 (495) 956-39-21
Home page: www.eksmo.ru   E-mail: info@eksmo.ru.
Тауар белгісі: «Эксмо»
Қазақстан Республикасында дистрибьютор және өнім бойынша
арыз-талаптарды қабылдаушының
өкілі «РДЦ-Алматы» ЖШС, Алматы қ., Домбровский көш., 3«а», литер Б, офис 1.
Тел.: 8 (727) 2 51 59 89,90,91,92, факс: 8 (727) 251 58 12 вн. 107; E-mail: RDC-Almaty@eksmo.kz
Өнімнің жарамдылық мерзімі шектелмеген.
Сертификация туралы ақпарат сайтта: www.eksmo.ru/certification

Сведения о подтверждении соответствия издания согласно
законодательству РФ о техническом регулировании можно получить
по адресу: http://eksmo.ru/certification/

Өндірген мемлекет: Ресей
Сертификация қарастырылмаған

Подписано в печать 09.09.2013.
Формат 84×108 $^1/_{32}$. Гарнитура «PetersburgCTT».
Печать офсетная. Усл. печ. л. 16,8.
Тираж 3100 экз. Заказ 3119.

Отпечатано в ОАО «Можайский полиграфический комбинат»
143200, г. Можайск, ул. Мира, 93
www.oaompk.ru, www.оаомпк.рф тел.: (495) 745-84-28, (49638) 20-685

ISBN 978-5-699-65032-3

9 785699 650323

Оптовая торговля книгами «Эксмо»:
ООО «ТД «Эксмо». 142700, Московская обл., Ленинский р-н, г. Видное,
Белокаменное ш., д. 1, многоканальный тел. 411-50-74.
E-mail: **reception@eksmo-sale.ru**

*По вопросам приобретения книг «Эксмо» зарубежными оптовыми
покупателями* обращаться в отдел зарубежных продаж ТД «Эксмо»
E-mail: **international@eksmo-sale.ru**

*International Sales: International wholesale customers should contact
Foreign Sales Department of Trading House «Eksmo» for their orders.*
international@eksmo-sale.ru

*По вопросам заказа книг корпоративным клиентам, в том числе в специальном
оформлении,* обращаться по тел. +7 (495) 411-68-59, доб. 2261, 1257.
E-mail: **vipzakaz@eksmo.ru**

*Оптовая торговля бумажно-беловыми
и канцелярскими товарами для школы и офиса «Канц-Эксмо»:*
Компания «Канц-Эксмо»: 142702, Московская обл., Ленинский р-н, г. Видное-2,
Белокаменное ш., д. 1, а/я 5. Тел./факс +7 (495) 745-28-87 (многоканальный).
e-mail: **kanc@eksmo-sale.ru**, сайт: www.kanc-eksmo.ru

Полный ассортимент книг издательства «Эксмо» для оптовых покупателей:
В Санкт-Петербурге: ООО СЗКО, пр-т Обуховской Обороны, д. 84Е.
Тел. (812) 365-46-03/04.
В Нижнем Новгороде: ООО ТД «Эксмо НН», 603094, г. Нижний Новгород,
ул. Карпинского, д. 29, бизнес-парк «Грин Плаза». Тел. (831) 216-15-91 (92, 93, 94).
В Ростове-на-Дону: ООО «РДЦ-Ростов», пр. Стачки, 243А. Тел. (863) 220-19-34.
В Самаре: ООО «РДЦ-Самара», пр-т Кирова, д. 75/1, литера «Е». Тел. (846) 269-66-70.
В Екатеринбурге: ООО «РДЦ-Екатеринбург», ул. Прибалтийская, д. 24а.
Тел. +7 (343) 272-72-01/02/03/04/05/06/07/08.
В Новосибирске: ООО «РДЦ-Новосибирск», Комбинатский пер., д. 3.
Тел. +7 (383) 289-91-42. E-mail: eksmo-nsk@yandex.ru
В Киеве: ООО «РДЦ Эксмо-Украина», Московский пр-т, д. 9. Тел./факс: (044) 495-79-80/81.
В Донецке: ул. Артема, д. 160. Тел. +38 (032) 381-81-05.
В Харькове: ул. Гвардейцев Железнодорожников, д. 8. Тел. +38 (057) 724-11-56.
Во Львове: ТП ООО «Эксмо-Запад», ул. Бузкова, д. 2. Тел./факс (032) 245-00-19.
В Симферополе: ООО «Эксмо-Крым», ул. Киевская, д. 153.
Тел./факс (0652) 22-90-03, 54-32-99.
В Казахстане: ТОО «РДЦ-Алматы», ул. Домбровского, д. 3а.
Тел./факс (727) 251-59-90/91. **rdc-almaty@mail.ru**

*Полный ассортимент продукции издательства «Эксмо»
можно приобрести в магазинах «Новый книжный» и «Читай-город».*
Телефон единой справочной: 8 (800) 444-8-444. Звонок по России бесплатный.

Интернет-магазин ООО «Издательство «Эксмо»
www.fiction.eksmo.ru
Розничная продажа книг с доставкой по всему миру.
Тел.: +7 (495) 745-89-14. E-mail: **imarket@eksmo-sale.ru**